BASSO

LA CUCINA INCONTRA L'ARTISTA DONATO PICCOLO

CUISINE MEETS THE ARTIST DONATO PICCOLO

RICETTE DI
RECIPES BY

FELICE LO BASSO

Felix Lo Basso

Ristorante in Milano

da un oblò, le guglie

from a porthole, the pinnacles

Dal / Since 2016

Cuoco / Chef
Felice Lo Basso

Artista / Artist
Donato Piccolo

Cover
Felice Lo Basso

Retro di copertina / Back Cover
Donato Piccolo
Passion, 2018
disegno su carta 32x45cm

Direzione di redazione
e coordinamento progetto /
Editor in Chief and Project by
Maria Paola Poponi

Testi / Texts by
Maria Paola Poponi

Grafica / Graphic design
Maretti Editore

Revisione editoriale / Editing
Francesco Caruso
Maria Paola Poponi

Traduzione / Translations
Francesco Caruso

Referenze fotografiche / Photo credits
Bernardo Ricci
per il Felix Lo Basso Restaurant

Mauro Giovanni Piccinini
per i disegni di Donato Piccolo

Simon d'Exéa Trombadori, p.24
Thomas Nitz, p.27
Angelo Sabatiello, p.29
Giovanni De Angelis, p. 32
per le opere e il ritratto di Donato Piccolo

Si ringrazia l'Archivio fotografico
del *Felix Lo Basso Restaurant*
e il fotografo Leonardo Grappolini
per la gentile concessione all'utilizzo
delle immagini a pagina 6, 10, 21, 192

MARETTI
*ef*FUSIONI *di* GUSTO

È la collana della Maretti Editore che unisce Arte e Cucina con l'intento di sensibilizzare il lettore a un percorso artistico multidisciplinare.

It is an editorial series published by Maretti Editore that links Art to Cooking in order to awaken readers' sensibility towards a multidisciplinary artistic path.

Maretti Editore ©
www.marettieditore.com

ISBN 978-88-98855-89-6

Sommario / Contents

7 Voglio masticare *Felice*!
11 I want to chew *happi-ly*!

14 Dialogando con Felice Lo Basso
15 A dialogue with Felice Lo Basso

16 "[…] l'alta cucina non è cosa per pavidi: bisogna avere l'immaginazione, essere temerari, tentare anche l'impossibile e non permettere a nessuno di porvi dei limiti […]"
22 "[...] haute cuisine is not for the faint-hearted: you need to be imaginative, bold, to try the impossible and do not let anyone impose limits on you [...]"

25 Donato piccolo. Il peso delle cose che non pesano
30 Donato Piccolo. The Weight of Things with no Weight

34 Dialogando con Donato Piccolo
35 A dialogue with Donato Piccolo

Ricette / Recipes

36 Legenda
Keys

39 per Cominciare...
Starters...

75 i Primi
Pasta and Rice Courses

103 i Secondi
Meat and Fish Courses

161 ...per Finire
...Desserts

193 indice delle Ricette
Recipes

VOGLIO MASTICARE *FELICE*!

In fin dei conti lo ha detto proprio lui in un suo libro di ricette: “La mia cucina è un gusto da masticare”(1).
Non può quindi stupirsi se ora gioco (tra nome e sentimento) con le parole. Se si pensa poi che Felice Lo Basso, o Felix Lo Basso qualsivoglia, conquista la Stella a soli quattro mesi dall’apertura dell’omonimo ristorante a Milano aggiungendo un *valore gourmet* che ferma il tempo in una città che di tempo non ne ha neppure per se stessa, non si può certo pensare che passi (lui e il tutto) inosservato e indenne tra pubblico e critica, sempre famelici di novità da inchiodare.

E noi, lo “inchiodiamo” subito. Ma, *ça va sans dire*, solo in senso positivo. La Collana *ef*Fusioni *di* Gusto parla quando ama e di ciò che ama, e le nostre stelle non sono solo quelle Michelin, ma anche quelle alla Zorio, piene di forza, di simboli, di alchimie, di rimandi e positive conflittualità. Per questo facciamo entrare l’Arte nelle alte Cucine italiane e i fornelli d’alto bordo negli Atelier contemporanei: vogliamo che si conoscano, si studino e si scambino segreti, trovando quel *fil rouge* che fa della bellezza un tutt’uno universale. E tra le tante bellezze del *Felix Lo Basso Restaurant* di Milano è il suo cavalcare l’onda dei ristoranti-view e delle location con i migliori affacci, diventando uno tra i più squisiti *Chef con Vista* oggi in Italia. Il tratto elegante intrinseco al temine “squisito” non è casuale, perché presuppone quel senso di classe naturale e di benessere psico-fisico che si prova non appena si entra qui. Ci si sente fin da subito a proprio agio e perfettamente parte integrante di uno scenario da set cinematografico girato all’ultimo piano della Galleria Vittorio Emanuele II: inebriati ma mai intimoriti. Il Paradiso *non* può attendere, è lì per noi e noi ce lo vogliamo godere. Vogliamo uscire in terrazza (con 25 posti seduti) per misurare la distanza tra la punta delle nostre dita e i pinnacoli del Duomo (e non è moltissima, ve lo assicuro), vogliamo immaginare un caldo tramonto (se inverno) o una nevicata illuminata a mezzanotte (se estate); insomma vogliamo un po’ sognare…, prima di desinare… Chi ci accoglie lo sa, è abituato a un momento di stupore. E ci lascia fare. Quando appagati dalla sottile sensazione di *rivalsa* che ci procura sempre il “avercela fatta, ci sono, finalmente qui”, qualcuno di veramente gentile ci accompagna al nostro tavolo. E qui si apre un mondo: sono in città o sono al mare, in crociera? Da un oblò, Milano tace e diventa piccola piccola, finalmente a misura d’uomo.

E io me la godo! Tra le neutralità e le geometrie perfette di una *salle à manger* (35 posti seduti) per lo più essenziale, i toni si scaldano miracolosamente tra bianco e nero *tout court* per creare un ambiente dai giusti equilibri e contrasti. E poi c’è il familiare balconcino in ferro battuto bianco posto in mezzo a una delle due sale e all’uscita della cucina per permettere il rituale d’abitudine a turno: porvi con elegante e agreste senso del territorio le piantine di fiori, aromi, spezie, erbe più o meno rare che creano un “ponte” di immaginazione tra chi le vede e le respira durante il pranzo o la cena e chi, dietro le quinte, le usa per cucinare o imbellettare paste, secondi, dolci.

(1) Felice Lo Basso *Il pranzo gourmet,* Italian Gourmet, Milano 2015, pag.19

MONDADORI
MONDADORI
MONDADORI

C'è privacy da *Felix Lo Basso*, se lo desideri. Il personale non invade, non insiste. È solo a disposizione. C'è brio e curiosità, quando arriva Chef Felice in sala. Lui è praticamente sempre lì; puoi parlargli, puoi chiedergli consigli culinari, puoi ospitarlo al tuo tavolo e farti raccontare come c'entrano i suoi natali nei suoi piatti. Ne sarà contento: è il suo argomento preferito. Tanto sa che se pur interrogato, i suoi segreti rimarranno comunque custoditi tra quelle mani grandi e nervose di chi ha vera esperienza e cuore generoso per il suo lavoro. Me lo ha dimostrato pubblicando qui 30 ricette, tra cavalli di battaglia e inedite, che impreziosiscono queste pagine di cultura culinaria. *Reminder* di Puglia in quasi tutte, ma anche sfide e duelli tra tradizione e tecnologia con le nuove tecniche di cottura e preparazione dei piatti. Tranquilli: ho cercato di rendervele il più semplice e complete possibili, ma non è stato facile e forse non sempre ci sono riuscita. Perché lo stesso Chef continuava a dirmi: "Non preoccuparti, si capisce benissimo. E poi in Italia oggi ci sono più cuochi amatoriali di quanti puoi immaginare, e loro queste cose le sanno".

Vero o non vero, lavorare insieme in questi mesi è stato per la sottoscritta molto educativo e pieno di sorprese piacevoli e stimolanti: una riservatezza quanto basta; una geniale fantasia che non si trascina mai nello sperimentalismo forzato; la scelta di una location che si vuole imporre per meriti e non per leggende metropolitane, la proposta dei suoi "braccio destro" (il personale è tenace, semplice ed educato); la volontà di un alter ego e socio in affari con cui entrare in perfetta sinergia (leggi poi). Sicuramente la meritatissima Stella Michelin, che quasi coincide con l'apertura di questo locale (2016) è stata anche il frutto di una eccezionale curiosità che riesce a suscitare in lui Chef Lo Basso: è come se lo si volesse premiare per vedere poi nel tempo dove può arrivare e quali confini riesce a superare. Una sfida tra noi (che di lui scriviamo, che le sue creazioni gustiamo, che per lui disegniamo) e il suo mondo di raffinate invenzioni per le nostre papille gustative, stimolate senza sosta da un Cuoco, uno Chef, un Maître de Cuisine che non si ferma (chi lo fa è perduto!) alle banalità, ma che neanche prosegue così, senza una meta ben precisa. Un gioco di scacchi che implica mosse del cavallo à gogo e che ben semplifica l'Artista Donato Piccolo nel magnifico *tête-à-tête* disegnato per il retro di copertina. Fuoco e fiamme tra Arte e Cucina, senza vincitori né vinti, dove l'importante è solo comunicare, in un virtuale "incontro", a chi seduto davanti ad un piatto o in piedi di fronte ad una tela: "Tu ora mi giudicherai, ma sappi che io l'ho fatto per me".

L'Art pour l'Art.

I WANTO TO CHEW *HAPPY-LY*!

In the end, he himself said that in one of his cookbooks: "My cuisine is a taste to chew on"[1].

So, my pun should not come as a surprise, as I play with names (Felice) and feelings (Felice in Italian means "happy"). Felice Lo Basso, or Felix Lo Basso, you name it, was awarded the Star only four months after the opening of his eponymous restaurant in Milan, adding a gourmet value that stops time in a city that does not even have time for itself. We cannot expect that he and his cuisine can go unnoticed and unscathed among the public and the critics, all hungry to catch what's new in town.

And we get hold of him right now, on the spot. Caught!, but in the good sense of the expression… *ça va sans dire!* At the series efFusioni di Gusto we speak only when we are inspired by love and only of what we love. The stars we speak about are not just the Michelin Stars: but also those stars created by Zorio, stars imbued with strength, symbols, alchemy, references, and positive conflict. This is why we let Art into Italian High-End Kitchens as well as stellar gastronomy into contemporary art studios: we want them to meet, study each other, and exchange secrets, so to find that red thread that makes beauty a universal unity. And among the many beauties of Felix Lo Basso Restaurant in Milan is that it benefits from the new trend of view-restaurants, and now he is one of the most exquisite Chefs-with-a-View. Here the term exquisite is not casual: its intrinsic elegance entails that sense of natural class and psychophysical well-being you feel as you step in the restaurant. You immediately feel at ease, part and parcel of the set of a film shot on the top floor of Galleria Vittorio Emanuele II: intoxicated, but fearless. Heaven can't wait: it's there for us to enjoy it. We want to go out on the roof (which seats 25 people) to measure the distance between the tip of our fingers and the pinnacles of the Duomo (It's quite a short gap, believe me!). We want to fancy a warm sunset (in winter), or a snowfall lit at midnight (in summer), in short, we want to dream a bit… before dinner… Our host knows that well, he's used to

(1) Felice Lo Basso, *Il pranzo gourmet*, Milan: Italian Gourmet, 2015, p.19

his guests' awe, and lets us do so. And when we finally feel that sentiment of subtle revenge that always follows an accomplishment ("I made it! here I am, at last"), a gentleman kindly escorts us to our table.
Then a whole world opens before our eyes: are we in a city downtown, or at sea, on a cruise? From a porthole, Milano is quiet and small, finally on a human scale.
And I'm ready to enjoy it! In the geometrical space of a neatly decorated *salle à manger* (seating 35 people), the white and total-black room miraculously lights up, creating a finely balanced environment with harmonious contrasts of colors. And then there is the familiar white wrought-iron balcony placed in the middle of one of the two rooms and near the kitchen entrance to allow the customary ritual: in a gesture reminiscent of the local countryside atmosphere, kindly presenting you with flowers, spices, and more or less rare herbs. An imaginary bridge is then built between the patrons – who can look at them and smell their fragrance during lunch or dinner – and those who, behind the scenes, use them to cook or garnish pasta dishes, second courses, and desserts.
There is privacy at Felix Lo Basso's, if you wish. The staff is by no means intrusive, nor pushy. They are there for whatever you need. There is a vibrant and curious atmosphere as Chef Felice steps into the dining hall. In fact, he is always around: you can talk to him, ask him for culinary advice, have him at your table, and let him tell you how his ancestry has affected his cuisine. He will be happy to talk about it: it is his favorite subject. He knows that, despite all your questions, his secrets will remain nonetheless kept in those large and impatient hands, the hands of a professional who loves his job intensely. As he has demonstrated by helping me publish 30 recipes, between signature dishes and unpublished recipes, that embellish these pages of culinary culture. Puglia is evoked anywhere in the recipes, as is the contest between tradition and the technology employed in new cooking techniques. But, don't worry! I tried to make things as simple as possible, although it wasn't easy and maybe I didn't

always succeed. Chef Felice kept telling me: “Don’t worry, you understand them very well. Also, in Italy today there are more amateur cooks than you can imagine, and they know these things”.

True or not, working together with Chef Felice in these months has taught me many things and has been full of pleasant and stimulating surprises: he is fairly reserved; brilliant, but without that extravagance that ends up in forced experimentalism; has chosen a location that wants to be recognized for its own qualities, and not because of some urban legend; the suggestions of his “right arms” (the staff is dependable, decorous, and polite); he is paired up by an alter ego and business partner in perfect synergy (read below). Surely the well-deserved Michelin Star, which almost coincided with the opening of this venue (2016) was also the result of an exceptional curiosity that Chef Lo Basso has aroused: it is as if he had been awarded to see where he can get and test the scope of his talent. This is a challenge between us (we write about him, taste his creations, create art for him: see Donato Piccolo’s drawings) and his world of exquisite inventions for our taste buds, relentlessly stimulated by a Cook, a Chef, a Maître de Cuisine that does not hesitate (he who hesitates is lost!). Lo Basso defies commonplaces, but never goes adrift or wanders aimlessly. It’s a game of chess where the horse has no rest, as the artist Donato Piccolo has rendered in the wonderful tête-à-tête in the back cover. Art and Cuisine go at it hammer and tongs! No losers, no winners: the important is, in a virtual encounter, to tell those who are seated at the dinner table or stand in front of a painting: “You will judge me now, but please know that I did it for myself”.

L’Art pour l’Art.

DIALOGANDO CON FELICE LO BASSO

MARIA PAOLA:
Ciao Felice, permettimi un paio di domande... Perché proprio la Cucina *a un certo punto nella tua vita?*

FELICE:
È una passione che ho sin da quando ero bambino. Vivendo quotidianamente a stretto contatto con mia nonna, la cuoca di famiglia, mentre i miei genitori lavoravano, passavo ore e ore a osservarla quando creava dei piatti gustosissimi per tutti noi. Mi piaceva molto, starmene lì con lei a carpire i segreti della cucina. E così, fin da adolescente ho deciso di intraprendere il mestiere di Cuoco.

MARIA PAOLA:
In cosa si identifica oggi per te il bello e il brutto *di essere uno* Chef *di professione?*

FELICE:
È un lavoro che racchiude molte sfaccettature e contraddizioni. Il suo *bello* è il contatto con la gente e soddisfare i loro palati con i miei piatti. *Il brutto*, è non avere mai tempo per sé stessi e per chi ti sta accanto. Sono consapevole che è un lavoro duro e dove non puoi mai permetterti di sbagliare, eppure ancora oggi penso, dopo tanti anni di attività, che sia il mestiere più bello del mondo. A tal proposito ringrazio, qui e di cuore, chi con dedizione e professionalità mi segue ogni giorno nella mia avventura: la brigata di cucina (Nino Ferreri – *Sous-Chef*, Dario Fisichella, Emanuele Ruffa, Domenico Peragine, Andrea Riccelli) il servizio in sala (Sanjaya Mathota – *Maître* e *Sommelier*, Samantha Serafini, Marco Spinelli, Carl Bonel) e l'accoglienza dell'ospite (Barbara Senoner, Elena Petrulli). Ultima in lista, ma non per questo meno importante, Emiliana Ferraroni, socia fondatrice con me del ristorante *Felix Lo Basso*, a cui riconosco con profonda amicizia e rispetto il merito di aver creduto nelle mie capacità, diventando nel tempo per il sottoscritto più di una partner imprenditoriale, quasi una sorella, direi.

MARIA PAOLA:
Giusto, bene! Grazie Felice.

FELICE:
Grazie a te.

A DIALOGUE WITH FELICE LO BASSO

MARIA PAOLA:

Hi Felice, let me ask you a couple of questions... When Cooking *exactly entered your life?*

FELICE:

It's a passion I've had since I was a child. Living daily in close contact with my grandmother, the family cook, while my parents worked, I spent hours and hours watching her as she created some very tasty dishes for us all. I liked it a lot, to stay there with her and steal the secrets of her cookery. And so, since I was a teenager I decided to become a Chef.

MARIA PAOLA:

What do you think are the aye and nay *of being a professional* Chef *today?*

FELICE:

It is a work with many facets and contradictions. Its *aye* is to have a direct contact with the people and satisfy their palates with my recipes. *The nay* is that you never have time for yourself and the people you love. I am aware that it is tough job, where you can never allow yourself to make mistakes. Yet, after so many years in this business, I still think that it is the most beautiful job in the world. In this regard, here I would like to thank from the bottom of my heart all those people that have joined me and my adventure being and are so dedicated and professional: the kitchen brigade (Nino Ferreri - *Sous-Chef*, Dario Fisichella, Emanuele Ruffa, Domenico Peragine, Andrea Riccelli) the dining hall staff (Sanjaya Mathota - *Maître and Sommelier*, Samantha Senas, Marco Spinelli, Carl Bonel), and the greeters (Barbara Senoner, Elena Petrulli). Last but obviously not least, Emiliana Ferraroni, founding partner with me of the restaurant *Felix Lo Basso*, to whom I acknowledge with deep friendship and respect the merit of having believed in my talent. Over time she has become way more than a business partner, almost a sister, I would say.

MARIA PAOLA:

Right! Good! Thank you Felice.

FELICE:

Thank you.

“[…] l’alta cucina non è cosa per pavidi: bisogna avere l’immaginazione, essere temerari, tentare anche l’impossibile e non permettere a nessuno di porvi dei limiti […]”

(Auguste Gusteau, Chef del film d’animazione *Ratatouille*)

Coincidenza inaspettata: anche Donato Piccolo, lo leggerete poi, citerà lo stesso film per dare forza al suo pensiero. Ma la storia, si sa, è fatta anche dai dettagli, dalle piccole cose e dalle coincidenze, per l’appunto.
In questo caso, la storia di un ragazzo pugliese, originario di Molfetta (classe 1973), che non amava particolarmente la scuola e che decise fin da giovane di mettere in pratica quello che i suoi occhi quotidianamente fissavano con ammirazione: la cucina della nonna e della mamma. E siccome la mamma è sempre la mamma, ovunque e comunque si abbia occasione di parlare con Felix Lo Basso (si fa chiamare così; è più artistico di Felice), lui non trascura mai di riferire che uno dei piatti che più lo rappresentano è il risotto alla parmigiana in cui ripropone la parmigiana di melanzane che gli ricorda la madre Rosa. Poliedrico, mediterraneo, appassionato, inquieto, determinato ma soprattutto curioso, Chef Lo Basso, ad un certo punto, sente forte dentro di sé che all’*origine* (sua) manca l’*oltre* (suo). Decide così di trasferirsi in quella terra detta dei “meridionali del nord”, dove prende casa e inizia una straordinaria crescita professionale. Ed è proprio in Romagna che Felix definisce il concetto che la cucina non deve avere limitazioni territoriali e che nel suo girovagare da lì in avanti una sola cosa sarebbe stata fondamentale e irrinunciabile nelle sue ricette: la qualità della materia prima. Ovunque e comunque.

“Nei suoi piatti la sua vita”, dice di lui Fausto Arrighi, critico stellato. E a ragion veduta, visto che lui, nei suoi piatti, vuole sempre raccontare qualcosa di sé e del suo passato. Un passato che lo ha visto sempre fedele a se stesso anche quando dalla movida del mare Adriatico si sposta in alta quota a dirigere, con la fermezza di sempre, le cucine dell’Alpen Royal di Selva di Val Gardena in qualità di *Executive Chef* per oltre 10 anni. Nel 2011 arriva la Stella Michelin: un successo, un premio, ma soprattutto un’ulteriore infusione di sicurezza che lo rende pronto per l’esperienza milanese; per una città che non perdona la mancanza di personalità e la ripetitività delle idee. Ma soprattutto, che raffina anche chi non lo vuole, esaltandone il *life style* a 360 gradi. E siccome ancora oggi noi “voliamo, voliamo nel cielo più blu” e “sempre più in alto lassù”, come dice il grande Domenico Modugno che ad ogni Sanremo ricordiamo con nostalgia [1], il Cuoco, in partenza dalle Dolomiti, non si accontenta e non vuole scendere di altezza.

(1) Vedi copertina de *Il venerdì di Repubblica,* 27 gennaio 2017

Felice Lo Basso e il suo staff di cucina
Felix Lo Basso and the kitchen staff

È il 2014, e Chef Lo Basso scala la vetta di *Unico* al 20esimo piano del WJC, facendone in breve tempo il ristorante stellato più alto d'Europa. Qui niente può essere lasciato al caso: tutto è strategia, tutto perfetto, tutto di squadra, nessun dettaglio dimenticato e soprattutto, qui a Milano, non è importante apparire, quanto non farsi dimenticare (Giorgio Armani dixit). Ma è mai stato forse possibile dimenticare un suo piatto? L'ovvietà della risposta sta, tra le tante, nelle parole di chi ha persino chiesto alla redazione de Il Giornale se poteva usare la parola "orgasmico" per parlare di lui nelle sue recensioni post-cena gourmet. Ora, non sono arrivata a questo livello di *nonchalance* qui alla Maretti Editore, ma anche io, come il giornalista Dominique Antognoni, penso che *"life is now"* quando mi si propone l'assaggio di una ventresca di tonno, di un filetto di cervo o di un doppio raviolo in farcia alla Lo Basso. In fin dei conti, perché limitarsi nelle parole davanti a tanta bellezza e creatività?

Deve aver riflettuto sullo stesso concetto *(no limits)* anche il nostro Felice che nel 2016 ha nuovamente trasferito "armi e bagagli" nel punto più cult e must della città meneghina dove, se ti sporgi, puoi fare un brindisi con il Duomo e due chiacchiere con la *Madunina*. I dettagli li conoscete già, ho ampiamente parlato nelle pagine che precedono del locale che dà il titolo a questa pubblicazione. Eppure, non ci crederete, ma poco più di un mese fa l'instancabile, l'irrefrenabile Chef Lo Basso con la partner di sempre (Emiliana Ferraroni) e il sarto dei monarchi (Angelo Inglese), ha inaugurato un nuovo paradiso culinario (con annessa sartoria) *très branché* sul lungomare di Trani chiamato *Memorie*. Un ritorno a casa, alla sua terra, a una cucina "su misura", dal gusto sartoriale e "cucita addosso" – oserei dire – dove ripropone le esperienze maturate nel profondo nord ad un desco che si inchina ai produttori locali e alle materie prime "sudiste". Nella memoria i ricordi di infanzia; ed è proprio a Trani che Felice inizia dunque a scrivere una nuova storia.

"Puglia-Milano andata e ritorno" ?
Direi di sì, in questo caso, ma non è il titolo di un film, bensì dell'articolo che La Repubblica il primo dicembre 2017 ha dedicato al nostro Chef, cantandone le lodi che furono e che saranno, ricordando a tutti noi che lui è Felice/felice ovunque si trovi: tutto di un pezzo e sempre contento di osare.
In fin dei conti ha avuto una buona scuola: "Vincenzo Cammerucci, Chef del *CaMì* di Savio di Ravenna è colui il quale mi ha indirizzato in maniera definitiva e ferma verso la cucina gourmet", dice.

Grazie Felice! Un onore per me le tue parole, io sono romagnola...
E grazie a Stefania Buscaglia che durante la sua bella intervista è riuscita a farglielo confessare (6 febbraio 2017).

FELIX LO BASSO

La brigata di cucina all'opera
The kitchen brigade at work

FELIX LO BASSO

“[...] haute cuisine is not for the faint-hearted: you need to be imaginative, bold, to try the impossible and do not let anyone impose limits on you [...]”

(Auguste Gusteau, Chef in the animation movie *Ratatouille*)

What an unexpected coincidence! As you’ll read later, Donato Piccolo will quote from the same movie to support his ideas. But history, we all now, is also made of details, of little things and, indeed, coincidences. This time, it is the story of a young man (born 1973) from Molfetta, in the Italian region of Puglia. A young man who was not particularly fond of school and at an early age had already decided to put to practice what was daily put under his admiring eyes: his grandma and mum cooking. But since *la mamma is always la mamma*, whenever you have the chance to talk to Felix Lo Basso (Felix is more artsy than Felice: he likes to be called like that), he never omits telling you that one of his signature dishes is the risotto alla parmigiana inspired to mum Rosa’s parmigiana. An eclectic Mediterranean man, passionate, inquiring, resolute, and – especially – curious, at a certain point in his life Chef Lo Basso felt that his own roots were lacking a “beyond”. So, he decided to settle in the so called “Northern Southerners Land”, moving in, and starting an extraordinary career. There, in Romagna, Felix realizes that a cuisine should not have regional boundaries, and that from that moment on there would be one thing that he would never give up to: the quality of the ingredients. In all places and by all means.

“There’s his life in his recipes”, said of him Fausto Arrighi, a “starred” critic. And very rightly so, since each recipe is the occasion for Felix to tell about himself and his past. And he has always remained faithful to his past: even when he left the exuberant nightlife on the Adriatic Coast to land up on the mountain as the resolute Executive Chef of the Alpen Royal Hotel in Selva di Val Gardena , where he stayed for over ten years. In 2011 he was awarded the Michelin Star: a success, a prize, but especially another boost of confidence, making him ready for the Milan experience, a city that never forgives the lack of personality or the absence of originality. As it highlights your lifestyle, Milan refines your taste, even if you don’t want to. And, as in the lyrics of the great Domenico Modugno, whose memory we cherish with nostalgia at each Sanremo Festival, today we still “fly, fly happily to the heights of the sun” (1), our Chef, leaving for the Dolomiti Mountains, is not satisfied and does not want to step down.

It’s 2014 and Chef Lo Basso conquered the top of *Unico*, the restaurant on the twentieth floor of the WJC building, making it, in a short time, the tallest starred restaurant in Europe. Here nothing can be left to chance: everything is strategy, everything is perfect, everything is team. Every detail is taken care of, especially because here, in Milan, rather than to

(1) See the cover of ***Il venerdì di Repubblica*** **,** 27 january 2017

appear, the important is not to be forgotten (Giorgio Armani dixit). But frankly: has it ever been possible to forget one of his creations? The answer is obvious, if we think, among many other things, that someone even asked the editorial staff at *Il Giornale* if they could use term "orgasmic" to talk about him in his post-dinner gourmet reviews. Now, here at Maretti Editore I have not reached that level of nonchalance, but, not unlike the journalist Dominique Antognoni, I too believe that "life is now" when I'm suggested to the taste the tuna belly, a venison fillet, or Lo Basso signature stuffed double ravioli. In the end, why limit yourself to words before so much beauty and creativity?

Our Felix must have considered that same idea (no limits), when in 2016 he again packed and left moving to the cult location of the city of Milan where, if you lean over, you can make a toast with the Duomo and chat with the *Madunina*. You know the details already, as in the preceding pages I have spoken extensively of the restaurant that gives the title to this book. Yet, you won't believe it, but just over a month ago the tireless, the unstoppable Chef Lo Basso, together with his long-time partner (Emiliana Ferraroni) and the tailor of the kings (Angelo Inglese), opened a very trendy new culinary paradise (with annexed tailor's shop) on Trani's seafront, called Memorie. A homecoming, a trip back home, to his "tailor-made" and "perfectly fitted" cuisine – I would say – where he reenacts the experiences he made in the deep North to a culinary art that bows down to local producers and "Southerners'" ingredients. Memories of childhood: and it's precisely in Trani that Felice begins to write a new story.

"Puglia-Milan roundtrip" ?
I would say yes, in this case, although it's not the title of a film, but of the article that on 1 December 2017 *La Repubblica* dedicated to our Chef, singing the praises that were and will be, reminding all of us that he is Felice/ felice wherever he is: a sterling character always happy to dare.
In the end he has had some good training: "Vincenzo Cammerucci, Chef of *CaMì* di Savio di Ravenna in the Romagna region, is the one who has ultimately encouraged me to make my steps towards gourmet cooking", he says. Thank you Felice! Your words make me proud, I'm from Romagna myself!

And thanks to Stefania Buscaglia who, during her excellent interview, had Felice make this little confession (6 February 2017).

Butterfly Effect, 2015
galvanized iron, electric system,
butterfly, amplifier, speaker
16x5x4m
Installation view at Macro Museum in Rome

Donato Piccolo. Il peso delle cose che non pesano

Quando lo scrittore napoletano Erri De Luca mi fece riflettere con il suo meraviglioso romanzo che una farfalla può pesare sulla nostra emotività più di un macigno e che il nostro fianco scoperto e spugnoso si accascia se lei per caso si appoggia sulla nostra spalla, non ho più avuto scampo. La mia mente, più abituata da tempo ad un ragionamento letterario, si è improvvisamente ricordata di una "magia" scientifica studiata ai tempi della scuola e teorizzata nel 1972 dal metereologo statunitense Edward Norton Lorenz. Durante una sua conferenza egli teorizzò l'"Effetto Farfalla"(1) nel nostro pianeta. Nella sua spiegazione, Norton descriveva sinteticamente come a determinate condizioni, un piccolo cambiamento in un momento iniziale possa risultare in grandi differenze in un momento successivo, esponendo, in questo modo, il concetto di "dipendenza sensibile dalle condizioni iniziali" presente nella Teoria del Caos. Ora, un cacciatore di camosci che cade a terra e muore, un uragano che tutto distrugge, una farfalla che improvvisamente batte le ali: sintesi di accadimenti e conseguenze di fenomeni naturali a cui l'arte, da sempre sensibile alla vita tutta, non poteva rimanere indifferente.

Ci ha pensato il romano Donato Piccolo (classe 1976) a trovare delle risposte in merito, insinuando dubbi a catena, poi. Una genialità. Dominatore da anni della miglior scena nazionale e internazionale con i suoi lavori artistici in grado di esplorare "l'incomprensibile mistero del mondo visibile" attraverso lo studio e l'indagine dei fenomeni naturali, fisici e biologici con i mezzi a sua disposizione (disegni progettuali e installazioni tecnologiche e meccaniche), Piccolo analizza gli aspetti percettivi dell'universo sensibile da parte delle facoltà cognitive umane. La maggior parte delle sue opere appartengono al concetto di un'arte olistica e contengono la complementarietà e l'inseparabilità di una combinazione a cui quasi mai l'Artista rinuncia: sono allo stesso tempo sculture e macchine, forme e processi. Partendo da una riflessione sull'intelligenza artificiale, Donato Piccolo cerca di rinchiudere e ricostruire un fenomeno naturale in una teca (o in un contenitore qualsivoglia), analizzarlo, copiarlo, riprodurlo per gioco o seria teorizzazione matematica, dando vita a una quantità di opere che indagano il rapporto tra artificio e natura. Le tecnologie moderne assumono così una valenza ironica utile per demistificarle, interrogare l'evidenza, arrivare fino ai confini del pensabile e produrre quell'incertezza e quell'interrogativo utile a rivelare contraddizioni e paradossi. Vagando continuamente tra Arte e Scienza, Piccolo ci prospetta un mondo capovolto in cui tutto assume significati diversi a seconda la prospettiva da cui lo si guarda. Dal 2002 ad oggi, tra personali e collettive, il concetto di "pensare l'impensabile" alla Donato ("Thinking the Unthinkable", Hermitage, San Pietroburgo 2017) ha fatto il giro del mondo; è uscito dal suo laboratorio alchemico per diventare materia di riflessione e seduzione estetica.

Estremamente affascinanti sono i suoi alambicchi, le sue sculture evanescenti, le apparizioni di nebbia, i vapori, le colonne d'aria, le elettricità: insomma, "un micro universo che unisce la potenza delle leggi di natura e la forza magnetica

(1) *"Può, il batter d'ali di una farfalla in Brasile provocare un tornado in Texas?"*, titolo di una conferenza tenuta da Lorenz nel 1972

dell'evento estetico". Ma dove sta il grande valore di Donato Piccolo? "Nel registrare l'errore (con i suoi effetti) sempre implicito ad ogni architettura sistemica". È abbastanza ovvio che quando si ha a che fare con uno come lui che cerca di intrappolare una stella, catturare un uragano, scomporre una nuvola, rinchiudere un fulmine, il pubblico non si trovi in uno stato contemplativo di fronte a quei fenomeni atmosferici diventati sinteticamente arte, ma mai privati della loro naturale *naturalezza* (gioco di parole).

Opere come *L'ultima notte che ho capito di non essere io* e *Primo mal di testa* in mostra lo scorso anno a Macerata per l'exhibition "Atmosferica", possono rappresentare le varie tappe della sua ricerca artistico-scientifica, che incredibilmente rispecchia la teoria kantiana della *Critica del Giudizio*, dove l'anima sospesa del fruitore non si confonde mai con la lente bifocale scientifica e filosofica con cui Piccolo manipola processi instabili, fisici e psichici. Come un vero Mago, li ricrea in laboratorio e poi ci enuncia l'idea che la trasformazione sia la sostanza intrinseca della realtà. Come un vero Artista, va al di là del suo limite fisico; ci stimola a vedere la realtà con occhi nuovi, ci spinge a mettere a fuoco potenzialità psicologiche, intellettive e affettive non sondate, ci coinvolge totalmente nell'interazione tra noi e la sua opera; ci confonde, ci destabilizza, ci rende insicuri, ci rende tesi e ci "spaventa". E poi che fa? Ci lascia soli con noi stessi a pensare. Lui ha già compreso tutto, noi ancora no. Perpetriamo infatti nell'errore, come dice Bauman, di volerci separare dalla natura, dimenticandoci così che "per motivi di sopravvivenza ne siamo fisicamente dipendenti, oltre che totalmente connessi". E ancora: "Se la modernità è stata un tentativo di andare oltre la natura facendola scientificamente categorizzare, la *modernità liquida* è un'esagerazione di questo processo, di modo che potessimo entrare nella sua fluidità attraverso i sistemi che abbiamo creato al fine di dominarla" (Mike Watson per "Liquid Thought", Milano 2017).

L'invito di Donato Piccolo di sanare la frattura tra le arti e le scienze attraverso una riflessione filosofica e contemporaneamente di aspirare a legare l'uomo ad una natura che riformula se stessa e il mondo circostante, ci lascia palpitanti ed emozionati. Nelle sue opere viviamo il "clima della *nostra* anima" e quel concetto fantastico che "resistenza è esistenza". Se la perdita di privacy e la dipendenza da macchine "fa presagire un futuro in cui questi saranno inglobati all'interno stesso del meccanismo naturale, entrando così in una beatitudine digitalizzata", il senso di precarietà e incertezza che l'Arte di Piccolo sovverte, disvela e sublima oggi, ci rende meno banali e prevedibili, regalandoci un paio di occhi nuovi con cui gustare la realtà. Ed è proprio attraverso questi nuovi occhi d'artista che Donato ha visto e interpretato un Maestro della Cucina come Felix Lo Basso. I suoi 30 disegni d'Autore, qui creati per l'occasione, mi onorano con la loro presenza estetizzante del piatto, ed arricchiscono di potere sensoriale la *liaison* tra arte e cucina alla base della collana. Assistente di Giacinto Cerone e Sol Lewitt, estimatore del lavoro di Klein, Fontana, de Dominicis, Beuys, Donato

Reversibility of 7 Unstable Elements, 2010
glass, pvc, electric pumps, microphones,
electrical system, timer, iron, water, audio system
7 objects, each of 32x18x105cm
Installation view at Galerie Mario Mazzoli, Berlin

combina con eleganza vari ingredienti e molteplici aree di ricerca in un ipotetico mixer di ultima generazione per frullare una pozione misteriosa sulla visione del mondo, da bere quando siamo emotivi e senza dimenticare l'elemento primario: vedere e capire (Maurizio Mochetti). Ecco allora prendere forma e padronanza assoluta nelle "ricette" di Donato Piccolo le singole voci degli ingredienti principali, intrecciati da Donato Piccolo con maestria alla vera ricetta d'Artista di Chef Lo Basso, che ben approva l'esaltazione della sua tanto amata materia prima qui volutamente valorizzata per grandezza e cromie dalle mani di un *enfant terrible* ribelle, con regole e schemi da manuale. Leggo spesso frasi come: "La cucina è arte e chimica", e niente di più vero sembra adattarsi a questa pubblicazione. Ma è altrettanto vero che per creare bisogna a volte uscire dagli schemi e dire e fare cose anche senza senso - che poi un senso ce l'hanno...

Telefonata del 27 febbraio 2018 alle ore 12.30.

Maria Paola: *Ho letto che inauguri una nuova mostra alla Fondazione Pomodoro in Milano pochi giorni prima della presentazione di questo libro... È vero?*

Donato: Sì, proprio il 10 aprile. Porterà il titolo di "Imprévisible" a cura di Flavio Arensi.

Maria Paola: *Che bella coincidenza... Senti un po', stavo correggendo le didascalie ai tuoi disegni e mi ritrovo davanti a ciliegie che sono diventate improvvisamente fragole e asparagi che hai chiamato carciofi. Licenza poetica? Giusto così? Oppure il solito CAOS COSMICO?*

Donato: Entrambi! Tu correggi pure, ma io non ne posso fare a meno. Sono così immerso nel conoscibile che spesso me lo confondo. Eppure non voglio "guarire", voglio rimanere tale e quale. In fin dei conti, Maria Paola, se sapessi esattamente la differenza tra un asparago e un carciofo e la loro esaltazione in Cucina, per paradosso io sarei Felix Lo Basso e lui sarebbe me. E questo non mi sembrerebbe giusto...

(ride)

(rido)

Butterfly Effect, 2013
galvanized iron, electric system,
butterfly, amplifier, speaker
16x5x4m

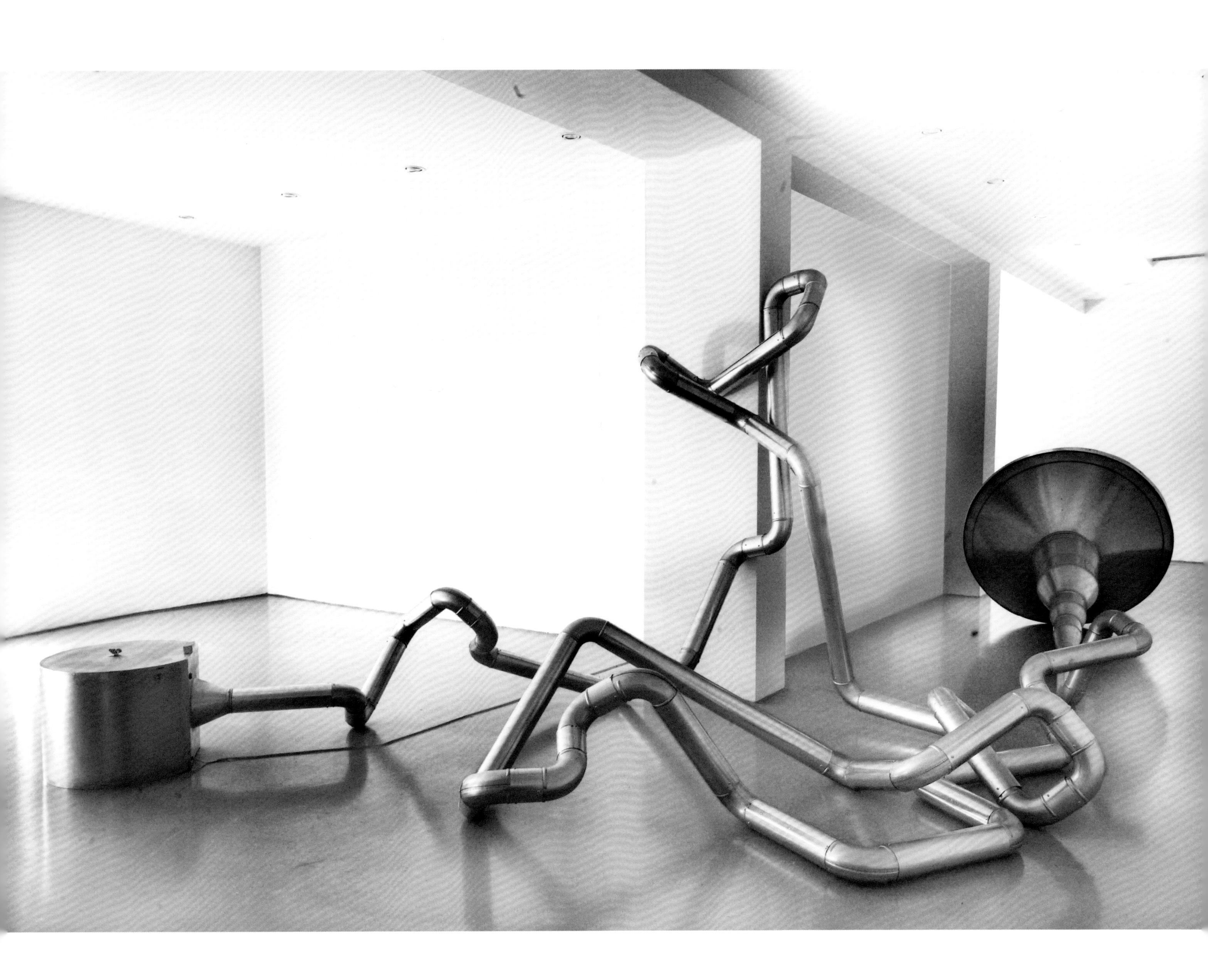

Donato Piccolo. The Weight of Things with no Weight

As I was reading one of the wonderful novels by the Neapolitan writer Erri De Luca, I recalled that the weight of a butterfly on our emotions can be heavier than that of a rock and that our vulnerable and fragile limbs can easily collapse if she accidentally rests on our shoulders. Then there was no way out: my mind, more used to the reasoning of literature rather than that of science, suddenly went to a scientific "magic" that I had studied in my school days and theorized by the American meteorologist Edward Norton Lorenz in 1972. During one of his lectures, he spoke of a "Butterfly Effect" (1) happening on our planet. In explaining it, Norton synthetically described how under certain conditions a small change at an initial stage can result in large differences in a later stage, thus exposing the concept of "sensitive dependence on initial conditions" present in "chaos theory". So, a chamois hunter falling to the ground and dying; a hurricane destroying everything it encounters; a butterfly suddenly beating its wings: a synthesis of events and effects of natural phenomena to which art, which has always been sensitive to all aspects of life, could not remain indifferent.

The Roman artist Donato Piccolo (born in 1976) has addressed these issues, providing answers and disseminating doubts. A stroke of genius. For years, Piccolo's works have dominated the best national and international art scene, with their ability to explore "the incomprehensible mystery of the visible world" through the study and investigation of natural, physical, and biological phenomena. With his blueprints and technological and mechanical installations, Piccolo analyzes how human cognitive faculties perceive the sensible world. Most of his works fall in the category of a holistic art and show the complementarity and inseparability of an almost ever-recurring combination: that between sculpture and machine, or form and process. Departing from a re-examination of Artificial Intelligence, Donato Piccolo tries to encapsulate and reconstruct a natural phenomenon in a show-case (or any container) and then study, copy, and reenact it according to a playful or serious mathematical theorization. In so doing, he gives life to numerous works that investigate the relationship between nature and artifice. Modern technologies thus are seen with an ironic eye, a vision that is instrumental to their own unmasking, to question evidence, and to step to the threshold of the thinkable, bringing forth that uncertainty and questioning useful to reveal contradictions and paradoxes. Moving restlessly between Art and Science, Piccolo shows us a world turned head over heels where everything takes on a different meaning according to our point of observation. Since 2002 until today, in solo and collective exhibitions, Donato's ideas about "thinking the unthinkable" ("Thinking the Unthinkable", Hermitage Museum, St. Petersburg 2017) have been traveling around the world: once out of his alchemical workshop, they have become matter of reflection and aesthetic seduction.

Extremely fascinating are his alembics, the evanescent sculptures, the musty visions, the vapors, the air columns, the electricity: in short, "a micro universe joining together the powerful laws of nature and the magnetic momentum of the aesthetic

(1) *"Does the flap of a butterfly's wings in Brazil set off a tornado in Texas?"*, the title of a presentation Lorenz delivered in 1972

event". But where is Donato Piccolo's great value to be found? "In identifying the fault (and its effects) always ingrained in any systemic architecture". Certainly, when dealing with someone like him, that is with someone who tries to seize a star, catch a hurricane, break up a cloud, tie up a thunderbolt, the audience is by no means in a state of contemplative rapture before those atmospheric phenomena that have become synthetically art, but never deprived of their natural *naturalness* (pun intended).

Works like *The Last Night When I Realized I Was Not Myself and First Headache* on show last year in Macerata for the exhibition "Atmosphere", can be taken as the various stages of Piccolo's artistic and scientific research, which surprisingly reflects the Kantian theory exposed in the , where the suspended soul of the observer is never be confused with the scientifically and philosophical bifocal lenses with which Piccolo manipulates physically and psychically unstable processes. Like a real Wizard, he recreates them in the workshop and then announces that transformation is the intrinsic substance of reality. Like a true artist, he goes beyond his physical limits, inviting us to see reality with new eyes; urging us to focus on psychological, intellectual, and affective potentials that have not yet been explored; engaging us completely in the interaction between us and his work: Piccolo confuses us, throws us off center, makes us insecure and nervous, and "frightens us". And then what does he do? He leaves us alone with ourselves so we can think. He has already understood everything, we haven't yet. Indeed, as Bauman says, we keep doing the same mistake, that is, wanting to separate ourselves from nature, thus forgetting that "for survival reasons we physically depend on it, as well as being totally connected to it". And again: "If modernity was an attempt to go beyond nature, framing it by means of scientific categories, *liquid modernity* is an exaggeration of this process, so that we could enter its fluid character through the systems we have created in order to dominate it" (Mike Watson for "Liquid Thought", Milan 2017).

Donato Piccolo's invitation to heal the break between arts and science through a philosophical reflection, and at the same time to aspire to bind man to a nature that keeps reinventing itself and the surrounding world, leaves us throbbing with emotions. In his works we live the "climate of *our soul*" and that fantastic concept that "resistance is existence". If the loss of privacy and the dependence on machines "predicts a future in which they will be incorporated within the very mechanisms of nature, thus entering a digitized bliss", the sense of precariousness and uncertainty that Piccolo's Art subverts, unveils, and sublimates today, makes us less obvious and predictable, presenting us a pair of new eyes with which to enjoy reality. And it is precisely through these new artist's eyes that Donato has looked at and read a Master of Cuisine like Felix Lo Basso. With their aesthetic rendering of the recipes, Piccolo's thirty drawings, created specifically for this occasion, honor me as they also enrich the liaison between art and cuisine which is at the basis of this book series. Assistant to Giacinto Cerone and Sol Lewitt, admirer of the work of Klein, Fontana, de Dominicis, and Beuys, Donato elegantly combines various elements and multiple areas of

research in a state-of-the-art blender. There he concocts a secret potion that grants a special vision of reality, an elixir to drink when we are emotional but without forgetting the primary thing: seeing and understanding (Maurizio Mochetti). In Donato Piccolo's graphic "recipes" each ingredient of Chef Lo Basso's auteur cookery takes shape. In turn, Felice endorses the artist's pean to his beloved ingredients, whose size and colors are deliberately magnified in the hands of an enfant terrible that masters the rules of art. I often read phrases like: "Cooking is art and chemistry", and nothing seems to be more fitting to this book. But it is equally true that in order to create we must sometimes get out of the box and say and do even nonsensical things (yet, they end up making sense…)

A phone call, 27 February 2018, 12.30pm

Maria Paola: *I read somewhere that a few days before the presentation of this book you have an exhibition opening at Fondazione Pomodoro in Milan… Is that right?*

Donato: Yes, April 10. It's entitled "Imprévisible", and is curated by Flavio Arensi.

Maria Paola: *What a nice coincidence… Listen, I was editing the captions to your drawings and I found myself in front a cherry that has suddenly become strawberries, and an asparagus that you have called artichokes. A poetic license? Is that correct? Or is it the usual COSMIC CHAOS?*

Donato: both! You can edit that, but I can't help doing it. I am so absorbed by what is yet to be known that sometimes I get confused. Yet, I don't want to heal, I want to remain in this very condition. In the end, Maria Paola, if you really knew about the difference between an asparagus and an artichoke and their glorification in the Kitchen, paradoxically, I'd be Felix Lo Basso and he would be me. Something I wouldn't find to be fair…

(He laughs)

(I laugh)

Da ***GIOVANNI DE ANGELIS Art Rewind #1***,
Maretti Editore 2015, (p. 80). Per gentile concessione dell'Artista.

Pong
Piccolo Studio
Roma, Febbraio 2015

DIALOGANDO CON DONATO PICCOLO

MARIA PAOLA:

Ciao Donato, permettimi un paio di domande... Perché proprio l'Arte *a un certo punto nella tua vita?*

DONATO:

Non credo che io abbia mai scelto di dedicarmi all'arte, credo anzi che l'arte abbia scelto di dedicarsi a me. Ci sono forze intorno a noi che governano i sistemi di attrazione e repulsione del cosmo, e noi siamo solo umani – per ora.

MARIA PAOLA:

In cosa si identifica oggi per te il bello e il brutto *di essere un* Artista *di professione?*

DONATO:

Il bello e il brutto sono facce di una stessa medaglia. L'arte può essere anche brutta ma, dato che noi non comprendiamo ciò che va oltre il nostro sistema di comprensione, ci aggrappiamo ad altre concezioni di bruttezza per identificare il bello. Forse un giorno scopriremo di aver considerato bello ciò che è realmente brutto o il contrario. Nel brutto, per paradosso, c'è forse, più che nel bello, un'idea non convenzionale di *bellezza*. Immaginiamo un parto: la cosa più bella dell'esistenza perché si genera una vita, la nascita di un essere umano. Eppure, alla vista, partorire presenta anche degli aspetti visivi alquanto crudi e difficili da sopportare. Quindi, il bello altro non è che la parte più nascosta del suo opposto. In realtà l'arte è l'unico sistema evoluzionistico a preservare la nostra esistenza e io non ho mai saputo scindere tra le due cose; in fondo non ho mai pensato di fare nient'altro nella mia vita. Se si ha talento, bisogna seguirlo. A tal proposito, mi viene in mente la frase di un film che io amo molto, *Ratatouille*, quando il critico gastronomico fa una rivelazione importante. Dice, infatti: "Non tutti possono diventare dei grandi artisti, ma un grande artista può celarsi in chiunque di noi".

MARIA PAOLA:

Ah, quanto è vero tutto ciò! Grazie Donato.

DONATO:

Grazie a te.

A DIALOGUE WITH DONATO PICCOLO

MARIA PAOLA:
Hi Donato, let me ask you a couple of questions... When Art *exactly entered your life?*

DONATO:
I don't think I ever chose to devote myself to art. In fact, I think that art chose to devote itself to me. Around us there are forces governing the cosmic system of attraction and repulsion, and we are just human – for now.

MARIA PAOLA:
What do you think are the aye and nay *of being a professional* Artist *today?*

DONATO:
The *aye and nay* are two sides of the same token. Art can also be ugly, but since we don't understand what goes beyond our system of understanding, we cling to other conceptions of ugliness so to be able to identify beauty. Perhaps one day we will discover that we have considered beautiful what is in fact ugly or the other way round. Paradoxically, in ugliness, perhaps more than in beauty, there is an unconventional idea of *beauty*. Imagine the act of giving birth: the birth of a human being is the most beautiful thing of life, because it generates a life. And yet, for certain aspects, the sight at someone give birth can be graphic and hard to bear. So beauty is nothing but the most hidden part of its opposite. In fact, art is the only evolutionary system that preserves our existence and I have never been able to separate those two things; in the end I never thought of doing anything else in my life. If you have talent, you must follow it. In this regard, I'd like to recall a line from *Ratatouille*, a film that I really love. It is when the food critic makes an important revelation. He says: "Not everyone can become a great artist, but in any of us there might be a great artist".

MARIA PAOLA:
This is so true! Thank you, Donato.

DONATO:
Thank you.

Legenda

PEPE: sempre nero se non specificato
SALE: sempre fino se non specificato
ACETO: sempre rosso se non specificato
PANNA: sempre liquida e fresca se non specificato
ACQUA PER BOLLIRE: sempre insipida se non specificato
ZUCCHERO: sempre bianco se non specificato
MISTICANZA DI ERBE E FIORI (basilico, aneto, cipollina, menta, valeriana, cerfoglio, fiori eduli): sempre “a sentimento” se non specificato

Keys

PEPPER: always black pepper, unless otherwise specified
SALT: always table salt, unless otherwise specified
VINEGAR: always red vinegar, unless otherwise specified
CREAM: always fresh and liquid, unless otherwise specified
WATER FOR BOILING: always unsalted, unless otherwise specified
SUGAR: always white, unless otherwise specified
HERB AND FLOWER MIXED SALAD (basil, dill, chives, mint, chervil, valerian, edible flowers): is always “at will”, unless otherwise specified

per Cominciare...

Starters...

i nostri finger

COMPOSIZIONE:

1. cioccolatino al prosciutto cotto e pistacchi
2. gomitolo di pasta fino e capocollo di Martina Franca
3. tartelletta salata crudo e squacquerone
4. *marshmallow* allo zafferano
5. panna cotta al tartufo nero e piselli
6. centrifugato all'anguria

INGREDIENTI PER 4 PERSONE

Per il cioccolatino al prosciutto cotto:
120 g prosciutto cotto a cubetti
12 ml panna
28 g burro di cacao
pistacchi q.b.

Per il gomitolo di pasta fillo e capocollo di Martina Franca:
200 g fogli pasta fillo
2 fette capocollo di Martina Franca
polvere di cappero q.b.

Per la tartelletta salata crudo e squacquerone:
40 g farina tipo "00"
10 g semola
20 ml acqua
10 g Parmigiano Reggiano
8 ml olio extravergine d'oliva

Per la polvere al prosciutto crudo:
120 g crudo
60 g squacquerone
20 g rucola

Per il *marshmallow* allo zafferano:
250 g albume
2 g albumina
120 ml salsa *ponzu*
40 g Parmigiano Reggiano
40 g colla di pesce
10 g sale

Per la panna cotta al tartufo nero e piselli:
per la panna cotta
80 ml panna
4 foglie di colla di pesce
1 ml olio tartufo
4 g tartufo grattugiato
sale q.b.
per la crema di piselli
400 g piselli freschi
40 g scalogno
30 g patata
20 ml brodo di verdure
per la finitura
2 g gomma kappa
germogli di piselli q.b.
caviale di tartufo q.b.

PROCEDIMENTO

Per il cioccolatino al prosciutto cotto

Lavorare in planetaria il prosciutto cotto con la panna, aggiustando di sale se necessario. Dressare il composto in forme a sfera, abbattendole subito in negativo. Nel frattempo, sciogliere il burro di cacao alla temperatura di 55°C circa. Procedere a velare le sfere ghiacciate col burro di cacao sciolto e tenere in frigorifero. Ultimare posizionando un pistacchio sulle sfere.

Per il gomitolo di pasta fillo e capocollo di Martina Franca

Realizzare degli spaghetti di pasta sottile con l'aiuto di una sfogliatrice rigata. Quindi avvolgerli su sé stessi realizzando un nido che andremo a disporre su dei fogli di silpat bucati. Quindi cucinare in forno a 160°C per 10 minuti, girarli e continuare per altri 10 minuti a 160°C. Al momento di servire, poggiare su ogni gomitolo una fetta di capocollo e spolverare con la polvere di cappero.

Per la tartelletta salata crudo e squacquerone

Impastare tutti gli ingredienti con la foglia in planetaria quindi far riposare in frigo per minimo 2 ore. Dopodiché togliere dal frigorifero, far stemperare e stendere l'impasto con l'aiuto di una sfogliatrice. Quindi disporlo su degli stampini a forma di tartelletta e cuocere a 180°C per 12 minuti circa.

Per la polvere al prosciutto crudo

Tagliare il crudo a julienne e far tostare per bene. Quindi asciugarlo dal grasso e far seccare per una notte a 60°C. Dopodiché frullare il tutto ottenendo una polvere di crudo. Frullare lo squacquerone, aggiustare di sale e trasferire in un *sac à poche*.

Per la finitura

Al momento di servire riempire le tartellette con squacquerone e spolverare con la polvere di crudo. Guarnire con la rucola precedentemente pulita e tagliata a julienne.

Per il *marshmallow* allo zafferano

Montare con la frusta in planetaria l'albume con il sale e l'albumina. A parte far ridurre del 10 per cento la salsa *ponzu* e raffreddare, quindi quando l'albume sarà montato a neve aggiungere la salsa *ponzu* a filo insieme alle foglie di colla di pesce precedentemente ammollati in acqua e scaldati. Quindi trasferire il composto in un *sac à poche* e realizzare degli spuntoni su delle placche antiaderenti. Far rapprendere in frigo per 20 minuti quindi cospargere con del parmigiano grattugiato e conservare in frigo.

Per la panna cotta al tartufo nero e piselli

Per la panna cotta

Mettere a bollire per 5 minuti la panna fresca, aggiungere la colla di pesce ammollata, frustare e versare l'olio al tartufo con il grattugiato e sale quanto basta. Quindi trasferire il tutto in degli stampi a forma di ciambella. Far tirare in abbattitore negativo.

Per la crema di piselli

In una casseruola far sudare lo scalogno con la patata, quindi aggiungere i piselli e continuare la cottura con del brodo di verdura. Trascorsa 1 ora, frullare il tutto al Bimby e passare al setaccio la crema aggiustandola di sale.

Per la finitura

Scaldare la crema di piselli aggiungendo la gomma kappa e portare a 80°C circa, quindi far riposare alcuni istanti e con aiuto di uno stecco immergere per due volte la panna cotta nella crema di piselli a -20°C ottenendo un *nappage* di piselli. Quindi far stemperare e servire con dei germogli di piselli e del caviale di tartufo.

La modalità più intuitiva, 2018
disegno su carta 32x45cm

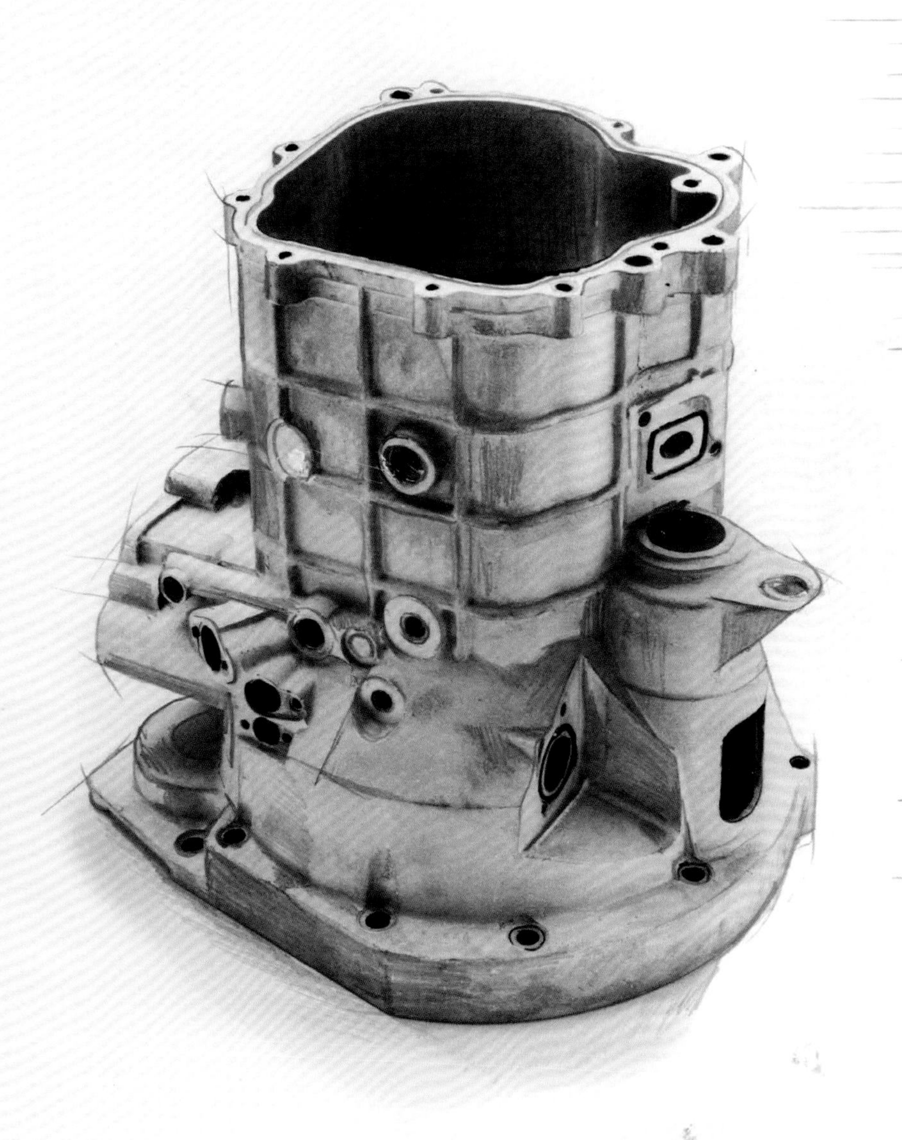

un essere vivente sarebbe in grado di agire sull'ambiente che lo circonda, manipolando oggetti inanimati, attraverso mezzi fisici invisibili e secondo modalità che sarebbero sconosciute alla scienza. La modalità più intuitiva per definire la psicocinesi è la capacità di spostare oggetti con il pensiero.

Ambiente riservato e attrezzato per la preparazione e la cottura dei cibi, nell'ambito domestico o di una più vasta comunità "cenare in c."

2

estens.

Preparazione e cottura dei cibi: intendersi di c.; fare da c., cucinare

our finger food

DISH COMPOSITION:

1. ham and pistachio chocolate candy
2. phyllo pastry ball and Martina Franca *capocollo*
3. prosciutto and *squacquerone* cheese savory tart
4. saffron marshmallow
5. green peas and black truffle panna cotta
6. watermelon juice

INGREDIENTS FOR 4 PEOPLE

For the ham and pistachio chocolate candy:
120 g diced ham
12 ml cream
28 g cocoa butter
pistachio to taste

For the phyllo pastry ball and Martina Franca *capocollo*:
200 g phyllo pastry sheets
2 slices of Martina Franca *capocollo*

For the prosciutto and squacquerone cheese savory tart:
40 g "00" flour
10 g semolina
20 ml water
10 g Parmigiano Reggiano
8 ml extra-virgin olive oil

For the prosciutto powder:
120g prosciutto
60 g *squacquerone* cheese
20 g arugula

For the saffron marshmallow:
250 g egg whites
2 g albumin
120 ml *ponzu* sauce
40 g Parmigiano Reggiano
40 g isinglass
10 g salt

For the green peas and black truffle panna cotta:
for the panna cotta
80 g cream
4 isinglass sheets
1 ml truffle oil
4 g grated truffle
salt to taste
for the green peas purée
400 g fresh green peas
40 g shallots
30 g potatoes
20 ml vegetable stock
for the finishing
2 g kappa powder
green peas beans to taste
truffle caviar to taste

METHOD

For the ham and pistachio chocolate candy

In a planetary mixer, with a leaf beater blend all the ingredients and then allow the mixture to sit in fridge for at least 2 hours. Take the dough out of the fridge, wait for it to warm up at room temperature and roll it out with the help of a puff pastry machine. Then place it on tart-shaped molds and bake at 180°C for about 12 minutes.

For the phyllo pastry ball and Martina Franca *capocollo*

With a puff pastry machine, make thin spaghetti. Then make a nest-shaped pasta ball, and transfer to a perforated silicone sheet. Bake in oven at 160°C for 10 minutes. Turn the nests and let bake for another 10 minutes at the same temperature. When serving, place a slice of capocollo on each ball and sprinkle with some caper powder.

For the prosciutto and *squacquerone* cheese savory tart

In a planetary mixer, with a leaf beater blend all the ingredients and then allow the mixture to sit in fridge for at least 2 hours. Take the dough out of the fridge, wait for it to warm up at room temperature and roll it out with the help of a puff pastry machine. Then place it on tart-shaped molds and bake at 180°C for about 12 minutes.

For the prosciutto powder

Cut the prosciutto into julienne and toast it thoroughly. Remove the fat and let the prosciutto dry for an overnight at 60°C. Blend the whole mixture until a powder is obtained. Blend the *squacquerone* cheese, add salt if needed, and transfer into a *sac à poche.*

For the finishing

When serving, fill the tarts with the *squacquerone* cheese and sprinkle with the prosciutto powder. Garnish with the arugula that has been previously cleaned and cut into julienne.

For the saffron marshmallow

In a planetary mixer, whisk the egg whites together with the albumin and the salt. On a saucepan, reduce the *ponzu* sauce by 10% and let cool down. Soak the isinglass sheet in water and slightly warm up. Then add them to the beaten egg whites and drizzle the reduced sauce. Transfer this mixture into a *sac à poche* and create some thin cones to be placed non-stick plates. Allow to cool down in fridge for 20 minutes and, once out, sprinkle them with the grated Parmigiano. Store in fridge.

For the green peas and black truffle panna cotta

For the panna cotta

Bring the fresh cream to a boil for 5 minutes, add the previously soaked isinglass, whisk, pour the truffle oil, and add the grated truffle and salt to taste. Then transfer the mixture into ring-shaped molds. Allow to thicken in a blast freezer.

For the green peas purée

In a saucepan, sweat the shallot with the potato, then add the green peas. Keep cooking adding some vegetable stock. After 1 hour, blend all into a Bimby food processor and strain the purée, adding salt if needed.

For the finishing

Warm up the green peas purée adding the kappa powder, and bring the temperature to nearly 80°C. Allow to rest for a few seconds and with the help of a stick soak the previously blast frozen panna cotta (-20°C) in the green peas purée, obtaining a green peas nappage. Allow to cool down and serve with the green peas beans and the truffle caviar.

il nostro pane

COMPOSIZIONE:

1. cialda alla cipolla
2. focaccine pugliesi
3. grissini
4. pane pugliese di semola

INGREDIENTI PER 4 PERSONE

Per la cialda alla cipolla:
1 kg farina debole
150 g cipolla bianca
150 ml olio extravergine d'oliva pugliese
275 ml acqua
30 g sale fino

Per le focaccine pugliesi:
1 kg semola rimacinata
20 g zucchero semolato
25 g lievito di birra
550 ml acqua
10 pomodori datterini tagliati in due
100 ml olio extravergine d'oliva
30 g sale fino

Per i grissini:
250 g farina forte
100 g semola
50 g farina di segale
15 g semi di finocchio
12,5 g lievito di birra
2,5 g zucchero semolato
225 ml acqua
60 ml olio extravergine d'oliva
11 g sale fino

Per il pane pugliese di semola:
per la biga
1,25 kg semola rimacinata
12,5 g lievito di birra
550 ml acqua
per il rinfresco
2 kg semola rimacinata
20 g lievito di birra
1 litro acqua
900 g semola
80 g sale

PROCEDIMENTO

Per la cialda alla cipolla

Cuocere la cipolla tritata con l'olio sottovuoto a 85°C per 50 minuti, far raffreddare e impastare con il resto degli ingredienti. Lasciare riposare l'impasto in frigo fino a quando non sarà totalmente freddo. Tirare a macchina l'impasto a uno spessore di 2 mm e cuocerlo su teglia forata a 160°C per 9 minuti. Raffreddare e conservare in un contenitore ermetico.

Per le focaccine pugliesi

Lavorare nell'impastatrice tutti gli ingredienti tranne il sale che dovrà essere aggiunto alla fine. Procedere con la puntatura dell'impasto, quindi pezzarlo in palline da 15 g l'una. Disporre le pezzature in teglie oliate e lasciare lievitare per 40 minuti. Porre su ogni focaccina ¼ di pomodoro datterino e infornare a 210°C per 10 minuti.

Per i grissini

Impastare tutti gli ingredienti fino a quando l'impasto sarà liscio e si staccherà dalle pareti dell'impastatrice. Stendere l'impasto sul tavolo cosparso leggermente di farina e allungarlo a forma di salame, coprirlo e lasciar riposare 10 minuti. A questo punto, con l'aiuto di un raschietto, ottenere delle piccole striscioline, allungare e metterle in teglia. Lasciar lievitare per 20 minuti, quindi infornare a 175°C per 15 minuti.

Per il pane pugliese di semola

Con i primi tre ingredienti impastare una biga non coesa del tutto, coprire e lasciare maturare per 24 ore a 18°C. A seguire, impastare con il resto degli ingredienti e formare delle pezzature di 350 g cadauna. Conferire alla pagnotta una forma rotonda, coprire e mettere a lievitare per 3 ore. Prima di infornare a 190°C per 15 minuti, cospargere di semola.

Pane e farina, 2018
disegno su carta 45x32cm

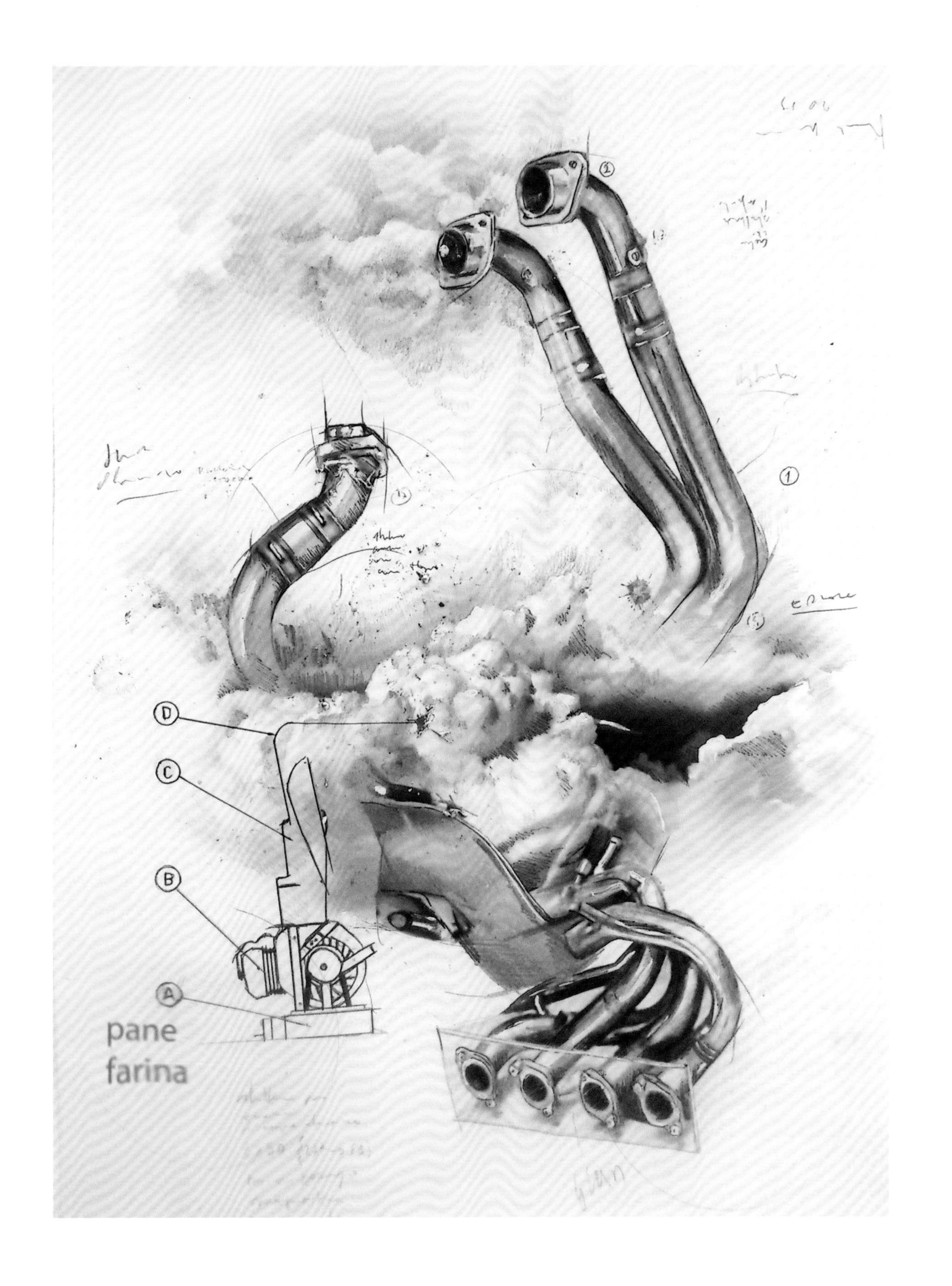

D
C
B
A
pane
farina

our bread

DISH COMPOSITION:

1. onion wafer
2. *focaccine pugliesi*
3. breadsticks
4. Puglia semolina bread

INGREDIENTS FOR 4 PEOPLE

For the onion wafer:
1 kg weak wheat flour
150 g white onion
275 ml water
150 ml Pugliese extra-virgin olive oil
30 g table salt

For the *focaccine pugliesi*:
1 kg double-milled durum wheat semolina
20 g granulated sugar
25 g brewer's yeast
550 ml water
10 date tomatoes cut in halves
100 ml extra-virgin olive oil
30 g table salt

For the breadsticks:
250 g hard wheat flour
100 g semolina
50 g frye wheat flour
15 g fennel seeds
12,5 g brewer's yeast
2,5 g granulated sugar
225 ml water
60 ml extra-virgin olive oil
11 g table salt

For the Puglia semolina bread:

For the* biga *(starter dough)
1,25 kg double-milled durum wheat semolina
12,5 g brewer's yeast
550 ml water

***For the* rinfresco**
2 kg double-milled durum wheat semolina
900 g semolina
20 g brewer's yeast
1 l water
80 g salt

METHOD

For the onion wafer

Vacuum seal the chopped onion and the oil and cook at 85°C for 50 minutes. Allow to cool down and knead together with the other ingredients. Let the dough rest in fridge until it is completely cold. With the help of a machine, roll out the dough until it is 2 mm thick and cook on a perforated pan at 160°C for 9 minutes. Cool it down and store in a hermetic container.

For the *focaccine pugliesi*

Put all the ingredients in a food mixer, except the salt, which will be added at the end. Proof the dough, then scoop out a number of small balls (ca.15g each). Place the balls in an oiled pan and let them rise for 40 minutes. Place 1⁄4 of a date tomato on each focaccina and bake at 210°C for 10 minutes.

For the breadsticks

Mix all the ingredients until the dough is smooth and comes off easily out the mixer's bowl. Place the dough on a table on which you previously sprinkled some flour, roll it out in the shape of a stick, cover and let sit for 10 minutes. Now, with the help of a little scraper, make some thin strips, stretch, and place on a pan. Allow to rise for 20 minutes and then bake at 175°C for 15 minutes.

For the Puglia semolina bread

Use the first three ingredients to make a not too thick biga, then cover and let sit for 24 hours at 18°C. Add all the remaining ingredients and knead until you can scoop out a number of pieces weighing 350 g each. Give each piece a round shape, cover, and allow to rise for 3 hours. Sprinkle some semolina before baking at 190°C for 15 minutes.

seppia e piselli in un *donut*

INGREDIENTI PER 4 PERSONE

Per il *donut* e copertura di seppia:
4 seppie fresche
½ patata
2 cipollotti
80 g salsa pomodoro fresco
40 ml vino bianco
1 mazzo basilico
2 acciughe
8 g capperi
10 g panna
1 limone
sale e pepe q.b.

Per la salsa di piselli:
1 kg piselli freschi
1 cipollotto
1 patata
½ litro di brodo di verdure

Per la salsa di pomodoro al forno:
120 g pomodoro datterino
timo, bucce di limone e sale q.b.

Per la finitura del piatto:
8 pezzi germogli di piselli
5 g sale maldon

PROCEDIMENTO

Per la base del *donut*

Pulire le seppie facendo attenzione a non rompere il sacchetto del nero che metteremo da parte. Tagliarle poi a julienne, quindi conservarne metà in frigo. Con l'altra metà preparare un ragù, facendo tostare il cipollotto a julienne con uno spicchio d'aglio in camicia, le acciughe e i capperi. Tostare il tutto con un cucchiaio d'olio quindi aggiungere la seppia con i sacchetti di nero. Sfumare con del vino bianco. Continuare la cottura con della salsa di pomodoro fresco, una patata a cubetti e delle foglie di basilico. Far ridurre per bene il tutto e, quando la seppia sarà morbida, mettere a scolare il composto. Conservare il succo ottenuto, e frullare leggermente il ragù. Aggiustare di sale e pepe e aggiungere una buccia di un limone grattugiata. Quindi disporre il composto in uno stampo a forma di ciambella e far raffreddare bene in un abbattitore a positivo.

Per il velo di seppia

Frullare l'altra metà della seppia con un goccio di panna e sale, quindi passare al setaccio ottenendo una pomata che andremo a spalmare su un foglio di silicone. Cuocere a vapore per 3 minuti a 80°C ottenendo in questo modo un "velo". Far raffreddare.

Per la crema di pomodoro al forno

Tagliare a metà i pomodorini e disporli in una placca con del sale, pepe, buccia di limone e timo. Quindi cuocere in forno a 190°C per 40 minuti circa. Frullare e passare al setaccio. Conservare in una pompetta.

Per la salsa al nero

Montare con olio il ristretto al nero che abbiamo recuperato precedentemente dalla cottura del ragù e sistemare in una pompetta.

Per la salsa di piselli

Sgusciare i piselli freschi e sbollentarli per alcuni minuti in acqua bollente salata. Quindi raffreddarli in acqua e ghiaccio e successivamente privarli della seconda pellicina. Preparare a parte un soffritto con cipollotto e patata e aggiungere i piselli sgusciati. Continuare la cottura con del brodo di verdure, quindi frullare il tutto fino ad ottenere una salsa compatta. Aggiustare di sale.

FINITURA DEL PIATTO E PRESENTAZIONE

Disporre sul piatto di portata la ciambella di ragù di seppia, quindi far stemperare leggermente. Nel frattempo con l'aiuto di due cerchi (uno grande quanto la circonferenza della ciambella e uno piccolo quanto la circonferenza del buco della ciambella stessa) dare la forma con il coppapasta al velo di seppia e sistemare sopra la ciambella. Dopodiché disporre alternando orizzontalmente la crema di pomodoro e la salsa al nero di seppia. Ultimare il tutto con del sale maldon e dei germogli di piselli. Finire il piatto al tavolo versando la salsa di piselli.

Quadrare il cerchio, 2018
disegno su carta 32x45cm

$S\left(\bigcup_{i=1}^{N} A_i\right) = \sum_{i=1}^{N} S(A_i)$
(1)
$I\left(\bigcup_{i=1}^{N} A_i\right) = \sum_{i=1}^{N} I(A_i)$
X_2
80
20
100
20
X_1

squid and green peas in a donut

INGREDIENTS FOR 4 PEOPLE

For the donut and the squid "coat":
4 fresh squids
½ potato
2 shallots
80 g fresh tomato sauce
40 ml white wine
1 bunch basil
2 anchovies
8 g capers
10 g cream
1 lemon
salt and pepper to taste

For the green peas purée:
1 kg fresh green peas
1 shallot
1 potato
½ l vegetable stock

For the oven-baked tomato sauce:
120 g date tomatoes
thyme, lemon zest, salt to taste

For the finishing:
8 green peas beans
5 g Maldon salt

METHOD

For the donut base

Clean the squid thoroughly, carefully remove the ink sac in order not to break it, and keep it for later. Cut the squid into julienne, storing half in fridge. With the other half prepare a sauce, by toasting on a pan the shallot cut into julienne with olive oil, the unpeeled garlic clove, the anchovies, and the capers. Add the first half of squid together with the ink sacs. Add white wine and reduce. Keep cooking by adding the fresh tomato sauce, the diced potato, and the basil leaves. Reduce and, once the squid has softened, strain the mixture. Keep this ink juice and, in a food processor, slightly blend the mixture. Adjust salt and pepper and add some lemon zest. Pour the mixture in a **donut** shaped mold and cool down in a blast chiller.

For the squid "veil"

In a food processor, together with the cream and the salt, blend the other squid that you have previously stored in fridge. Strain so to obtain a cream to be spread on a silicon sheet. Stem for 3 minutes at 80°C until you obtain a "veil". Let cool down.

For the oven-baked tomato sauce

Cut in half the date tomatoes and arrange them on a slab with salt, pepper, the lemon zest, and the thyme. Bake in oven at 190°C for about 40 minutes. Blend and strain. Transfer into a little pump.

For the ink sauce

Together with the oil, whip the reduced ink juice that you had previously strained, and transfer into a little pump.

For the green peas purée

Shell the fresh peas, parboil for a few minutes in boiling salt water, then allow to cool down in ice water. Remove the second skin. On a separate saucepan, gently fry the shallot and the potato and then add the shelled peas. Keep cooking by adding the vegetable stock, then blend all the mixture until you obtain a green peas purée. Adjust salt.

FINISHING AND PRESENTATION

On a plate, place the squid sauce **donut**, and allow to adjust at room temperature. Meanwhile, with the help of two circle-shaped utensils of different size (one as wide as the **donut**, the other as large as the hole of the **donut**) and of a pastry cutter place the squid "veil" on the **donut**. Then decorate by piping on the **donut** the tomato sauce and the ink sauce alternately. Finish by sprinkling some Maldon salt and garnishing with the green peas beans. When serving, pour on the green peas purée.

sgombro marinato all'aglio, olio e peperoncino con gazpacho di cetriolo

INGREDIENTI PER 4 PERSONE

Per lo sgombro marinato:
2 sgombri
1 cucchiaio di miele
5 litri acqua naturale
250 ml aceto di riso
la buccia di 1 limone
la buccia di 1 arancia
2 scalogni
erbe e spezie (bacche di ginepro, pepe in grani, aglio in camicia, timo, rosmarino, salvia)
500 g zucchero di canna
600 g sale

Per il finto aglio di mozzarella:
1 mozzarella di bufala da 250 g (con la sua acqua di governo)
150 g panna semi-montata
12 g colla di pesce
10 ml latte fresco intero
3 g gomma kappa
sale q.b.

Per il finto peperoncino:
400 g pomodoro datterino
2 scalogni
1 peperoncino
4 g agar agar

Per il gazpacho di cetriolo:
4 cetrioli
2 gambi sedano
1 mela verde
½ limone

PROCEDIMENTO

Per lo sgombro

Eviscerare per bene gli sgombri, spinarli e pulirli dall'acqua di mare. Nel frattempo mescolare sale, zucchero, la buccia del limone e dell'arancia. Quindi far riposare per 2/3 ore. A parte, far ridurre del 50 per cento l'acqua con l'aceto e gli aromi aggiustando di sale. Far intiepidire quindi il composto a una temperatura di 40°C circa e immergere gli sgombri facendoli marinare per 30 minuti. Conservare sott'olio in fresco.

Per il finto aglio di mozzarella

Frullare al Bimby la mozzarella con 80 ml di acqua di governo. Quindi passare al setaccio e aggiungere la colla di pesce precedentemente ammollata e riscaldata. Far riposare alcuni minuti dopodiché semi-montare la panna e aggiungerla al composto di mozzarella, mescolando con l'aiuto di un leccapentole dal basso verso l'alto. Aggiustare di sale e pepe e trasferire in stampi a forma di spicchio d'aglio. Abbattere in negativo. Portare poi in un pentolino a 70°C la restante acqua della mozzarella con un goccio di latte e un cucchiaino di gomma kappa. Con l'aiuto di uno stuzzicadenti immergere il finto aglio nell'acqua di mozzarella e kappa.

Per il finto peperoncino

Cuocere i pomodorini per un quarto d'ora sul fuoco, dopodiché frullare ottenendo una salsa di pomodoro. Aggiungere l'agar agar e versare il composto negli appositi contenitori di silicone creati a forma di peperoncino. Lasciare in frigorifero per 3 ore.

Per il gazpacho di cetriolo

Frullare tutti gli ingredienti al Bimby e poi setacciare.

Incastrare una visione, 2018
disegno su carta 32x45cm

Abolizione del quotidianismo mediocrista
Der Mensch ist, was er isst
Abolizione del volume e del peso nel modo di
concepire e valutare il nutrimento.
complesso plastico mangiabile Equatore + Polo
Nord nordico pensiero di incastrare una visione di
ciò che dovrà essere.
ricatto di una estetica estefica estecica
riscatto di un'estetica

mackerel marinated in garlic, oil, and hot pepper, served with cucumber gazpacho

INGREDIENTS FOR 4 PEOPLE

For the marinated mackerel:
2 mackerels
1 tbsp. honey
5 l water
250 ml rice vinegar
zest from 1 lemon
zest from 1 orange
2 shallots
culinary herbs and spices (juniper berries, peppercorn, unpeeled garlic, rosemary, sage)
500 g sugar cane
600 g salt

For the mozzarella “mock” garlic:
1 buffalo’s milk mozzarella (250 g)
150 g half-whipped cream
12 g isinglass
10 ml whole milk
3 g kappa powder
salt to taste

For the “mock” hot pepper:
400 g date tomatoes
1 hot pepper
4 g agar agar

For the cucumber gazpacho:
4 cucumbers
2 celery stalks
1 green apple
½ lemon

METHOD

For the mackerel

Gut, bone, and clean the mackerel thoroughly, getting rid of all the sea water. Mix the salt, the sugar, the lemon and the orange zest. Allow the mixture to rest for 2/3 hours. Separately, make a sauce with the water, the vinegar and the herbs, adjusting salt and reducing by the 50%. Let the sauce cool down to about 40°C and soak in the mackerel, marinating for about 30 minutes. Bottle in oil and store in a cool place.

For the mozzarella "mock" garlic

In a Bimby food processor, mix the mozzarella together with 80 ml of its own liquid. Strain and add the isinglass previously soaked and warmed up. Allow to rest for a few minutes, half-whip the cream, and add to the mozzarella mixture, stirring with a rubber spatula from bottom to top. Adjust salt and pour the mixture into garlic clove-shaped molds. Blast freeze. In a saucepan, pour the remaining liquid of the mozzarella, the milk, and a tsp. kappa powder. Finally, with the help of a toothpick, soak the mock garlic into the mozzarella liquid and the kappa.

For the "mock" hot pepper

Cook the date tomatoes for 15 minutes. Then mix until you obtain a tomato sauce. Add the agar agar and pour the mixture into the silicon molds aptly shaped into hot peppers. Keep in fridge for 3 hours.

For the cucumber gazpacho

Mix all the ingredients in a Bimby food processor and strain.

cozze e Burrata in “cialletta molfettese”

INGREDIENTI PER 4 PERSONE

Per il succo di pomodoro in cialletta:
200 g pomodorino datterino
1 cetriolo
30 g cipolla rossa
2 foglie di origano fresco
1 cucchiaino di agar agar
sale q.b.

Per le cozze ripiene di Burrata:
400 g cozze pugliesi
1 spicchio aglio
2 gambi prezzemolo
120 g Burrata di Andria
20 ml vino bianco
30 ml olio extravergine d’oliva

Per la cipolla rossa marinata:
½ cipolla rossa
30 ml aceto bianco
400 ml acqua naturale
1 cucchiaino di miele
8 g zucchero semolato
erbe e spezie (timo, alloro, maggiorana, bacche di ginepro, pepe in grani q.b.)
sale q.b.

Per la finitura del piatto:
1 pomodoro camone
4 cetriolini freschi
100 g pane di Altamura
foglie di origano fresco q.b.

PROCEDIMENTO

Per il succo di pomodoro in cialletta

Pulire accuratamente il pomodoro, cetriolo e cipolla rossa quindi centrifugare il tutto. Aggiungere un cucchiaino di agar agar e portare a bollore per 2 minuti con le foglie di origano. Quindi filtrare, aggiustare di sale e disporre il composto su degli stampi a spirale. Far tirare in fresco e conservare in frigo.

Per le cozze ripiene

Pulire accuratamente le cozze e aprirle in padella con un cucchiaio di olio e un battuto d'aglio e prezzemolo sfumandole con il vino. Poi sgusciarle, e conservarle nella propria acqua di cottura. Nel frattempo frullare per alcuni istanti la Burrata e lasciar scolare in frigo.

Per la cipolla rossa marinata

Mettere a ridurre tutti gli ingredienti fino al 50 per cento e aggiustare di sale e acidità in modo da realizzare uno sciroppo agrodolce. Quindi far raffreddare in una busta sottovuoto e disporre le falde di cipolla rossa con il succo agrodolce in un contenitore per la conservazione. Cucinare per 3 minuti a 80°C a vapore con tutta la busta. Raffreddare in acqua e ghiaccio e conservare fino al servizio in frigo.

FINITURA DEL PIATTO E PRESENTAZIONE

Disporre alla base del piatto di portata la spirale di pomodoro, quindi farcire le cozze a momento con la Burrata disponendole sopra la spirale. Completare il piatto con delle falde di cipolla rossa marinata, i cetriolini freschi, i dadi di pane tostati e degli spicchi di pomodoro camone crudo. Ultimare il tutto con dei capperi secchi e delle foglie di origano fresco.

Palla al centro (vortice), 2018
disegno su carta 32x45cm

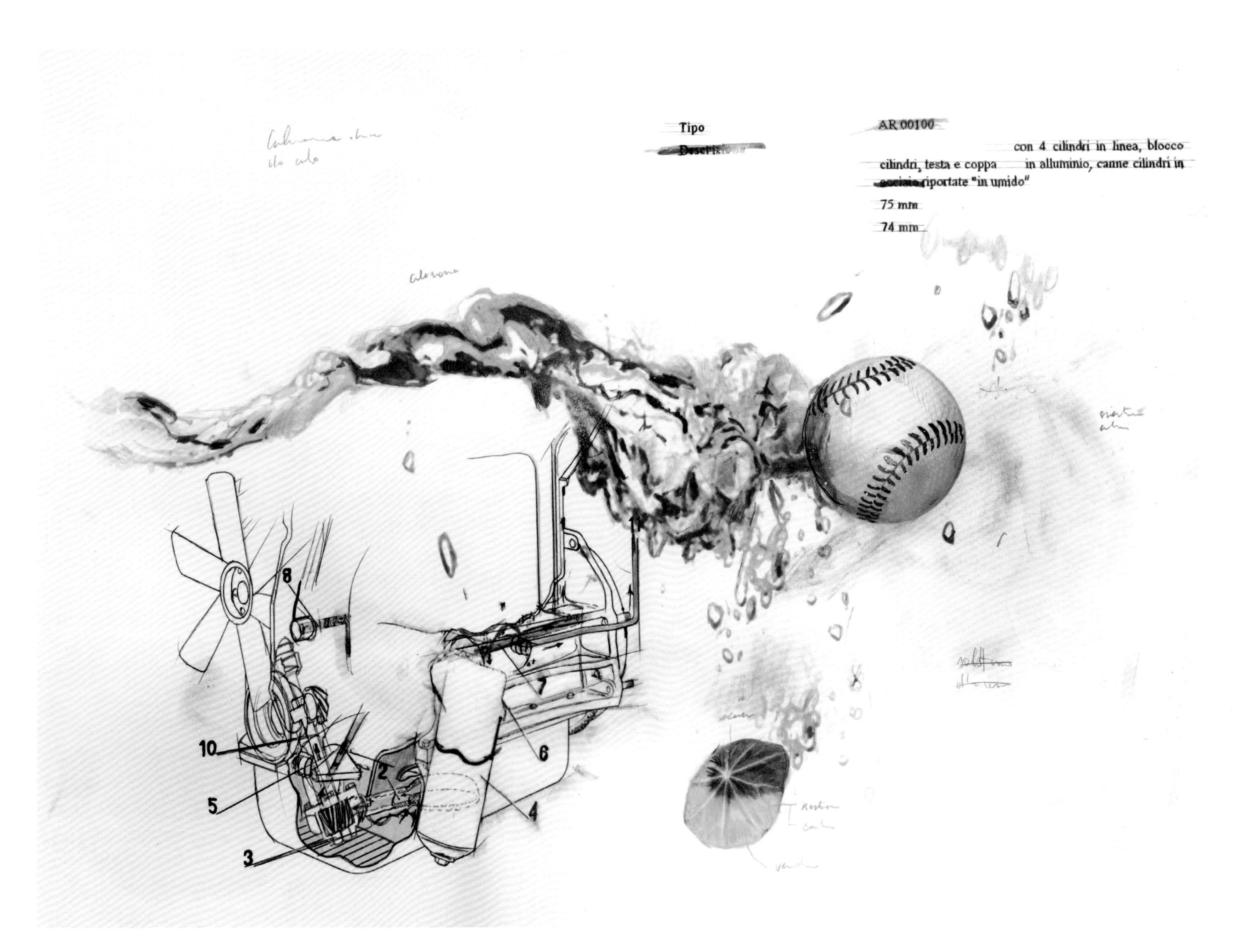
Tipo
AR 00100
con 4 cilindri in linea, blocco
cilindri, testa e coppa in alluminio, canne cilindri in
riportate "in umido"
75 mm
74 mm
10
8
11
7
6
2
5
4
3

mussels and *Burrata* in "cialletta molfettese"

INGREDIENTS FOR 4 PEOPLE

For the tomato juice in "cialletta":
200 g date tomato
1 cucumber
30 g red onions
2 fresh oregano leaves
1 tsp. agar agar
salt to taste

For the *burrata* cheese stuffed mussels:
400 g Puglia's mussels
1 garlic clove
2 parsley stalks
120 g Andria *Burrata* cheese
30 ml extra-virgin olive oil
20 ml white wine

For the marinated red onion:
½ red onion
30 ml white vinegar
400 ml water
1 tsp. honey
8 g granulated sugar
culinary herbs to taste (thyme, laurel, marjoram, juniper berries, peppercorn)
salt to taste

For finishing and presentation:
1 camone tomato
4 fresh gherkins
100 g Altamura bread
fresh oregano leaves

METHOD

For the tomato juice in "cialletta"

Seed and clean thoroughly the tomato, the cucumber, and the red onion. Then mix them all together. Add a tsp. agar agar and bring to a boil for 2 minutes adding the oregano leaves. Strain, adjust salt, and transfer the mixture into spiral-shaped molds. Allow to thicken at a cool temperature and store in fridge.

For the stuffed mussels

Clean the mussels thoroughly and let them open on a pan with a tbsp. oil and a mixture of garlic and parsley. Add the white wine and reduce. Shell the mussels and keep them in their cooking water. Meanwhile, mix the *Burrata* cheese for a few seconds and let it drain in the fridge.

For the marinated red onion

On a cooking pan, let all the ingredients reduce by 50%. Then adjust salt and acidity so to obtain a sweet and sour mixture. Allow to cool down in a vacuum-sealed envelope and store aside the onions with their juice in a container. Steam the envelope for 3 minutes at 80°C. Allow to cool in ice water and keep in fridge until serving time.

FOR FINISHING AND PRESENTATION

On a serving dish, put the tomato spiral, then stuff the mussels with the *Burrata* cheese, placing them on top of the spiral. Complete the dish by adding some marinated red onion fleshy leaves, the fresh gherkins, the toasted diced bread and the raw camone tomato slice. Finish adding dry capers and fresh oregano leaves.

asparagi al vapore, salsa carbonara e aglio nero

INGREDIENTI PER 4 PERSONE

Per gli asparagi:
12 asparagi verdi

Per la salsa carbonara:
120 g guanciale a cubetti
50 g pecorino
3 tuorli
4 g pepe fresco

Per la salsa all'aglio nero:
1 cipollotto
½ patata
1 litro latte fresco intero
2 spicchi aglio bianco
3 spicchi aglio nero
150 ml brodo di pollo
5 g nero di seppia
18 ml vino bianco
sale e pepe q.b.

PROCEDIMENTO

Per gli asparagi
Cucinare per 7 minuti gli asparagi a vapore dopo averli puliti e pelati per bene. Raffreddarli in acqua e ghiaccio.

Per la salsa alla carbonara
In un contenitore lavorare i tuorli d'uovo con il pecorino e il pepe fresco. Quindi a parte tostare in padella il guanciale per bene e immergerlo nel composto. Lasciare in infusione per 4 ore. Dopodiché filtrare e montare il tutto in un sifone a 50°C ottenendo una salsa liscia.

Per la salsa all'aglio nero
Togliere l'anima all'aglio bianco e passarlo 3 volte nel latte bollente. A parte, far sudare il cipollotto per bene, quindi aggiungere l'aglio bianco prima e il nero dopo. Sfumare col vino bianco e aggiungere la patata e il nero per colorare. Continuare la cottura con il brodo di pollo. Frullare il tutto e aggiustare di sale. Infine filtrare la salsa.

steamed asparagus, carbonara sauce, and black garlic

INGREDIENTS FOR 4 PEOPLE

For the asparagus:
12 green asparagus

For the carbonara sauce:
120 g diced guanciale
50 g pecorino cheese
3 egg yolks
4 g fresh pepper

For the black garlic sauce:
1 shallot
½ potato
1 l whole milk
2 white garlic cloves
3 black garlic gloves
150 ml chicken stock
5 g squid ink
18 ml white wine
salt and pepper to taste

METHOD

For the asparagus
After washing and peeling the asparagus carefully, steam for 7 minutes. Cool down in ice water.

For the carbonara sauce
In a bowl, beat the egg yolks with the pecorino cheese and the fresh pepper. On a separate pan, toast the guanciale thoroughly and bathe in the egg mixture. Allow it to soak for 4 hours. Strain and fill into a siphon bottle at 50°C, so to obtain a smooth sauce.

For the black garlic sauce
Remove the core from the white garlic and soak three times in boiling milk. Separately, carefully sweat the shallot on a pan, then add first the white and then the black garlic. Pour the white wine and reduce. Add the potato and then the squid ink for color. Keep cooking by adding the chicken stock. Pour all into a blender, mix, and adjust salt. Strain the sauce.

Progetto per macchina che genera asparagi, 2018
disegno su carta 32x45cm

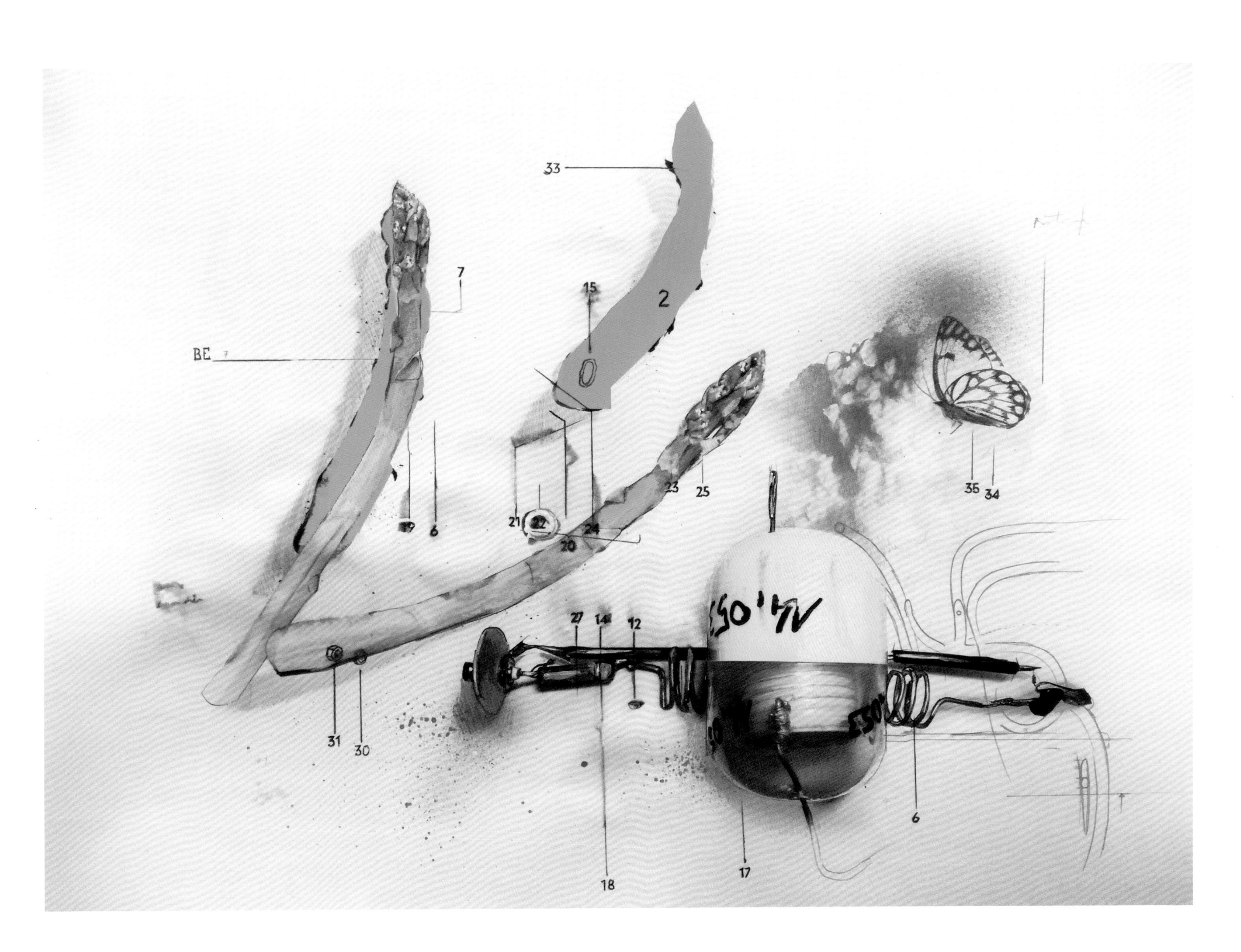
33
7
15
2
BE
35
34
23
25
6
21
22
24
20
27
14
12
31
30
6
18
17

i Primi
Pasta and Rice Courses

ditalini di pasta di grano duro alla parmigiana

INGREDIENTI PER 4 PERSONE

Per la crema al parmigiano:
500 ml latte fresco intero
300 ml di panna fresca
500 g Parmigiano Reggiano
4 fogli di colla di pesce

Per la crema di melanzana affumicata alla brace:
1 melanzana nera
2 foglie di basilico
2 g di polvere di capperi
sale e pepe q.b.

Per i ditalini:
200 g ditalini
40 g polvere di pomodoro
germogli di basilico q.b.

PROCEDIMENTO

Per la crema al parmigiano
Far ridurre del 50 per cento la panna e il latte, dopodiché frullare al Bimby con il parmigiano e la colla di pesce ammollata precedentemente in acqua fredda. Far raffreddare e trasferire in un *sac à poche.*

Per la crema di melanzana affumicata alla brace
Cuocere la melanzana intera con tutta la buccia alla brace finché non sarà abbastanza morbida. Quindi togliere la buccia e frullare con le foglie di basilico e la polvere di cappero. Aggiustare di sale e pepe e trasferire in un *sac à poche.*

FINITURA DEL PIATTO E PRESENTAZIONE

Cuocere i ditalini in acqua bollente, condire e impiattare.

parmigiana durum wheat *ditalini*

INGREDIENTS FOR 4 PEOPLE

For the Parmigiano cream:
500 ml whole milk
300 ml cream
500 g Parmigiano Reggiano
4 isinglass sheets

For the roasted smoked eggplant cream:
1 black eggplant
2 basil leaves
2 g caper powder
salt and pepper to taste

For the *ditalini*:
200 g *ditalini*
40 g tomato powder
basil sprouts to taste

METHOD

For the Parmigiano cream
Reduce the cream and the milk by 50%, then pour into a Bimby food processor and mix together with the Parmigiano and the isinglass that has been previously soaked in cold water. Let cool down and transfer into a *sac à poche*.

For the roasted smoked eggplant cream
Roast the whole unpeeled eggplant until soft. Peel and in a blender mix together with the basil leaves and the caper powder. Adjust salt and pepper, then transfer into a *sac à poche*.

FINISHING AND PRESENTATION
Cook the *ditalini* (a type of pasta shaped in small tubes) in boiling water. Add the sauce and plate.

Ricordo amatoriale, 2018
disegno su carta 32x45cm

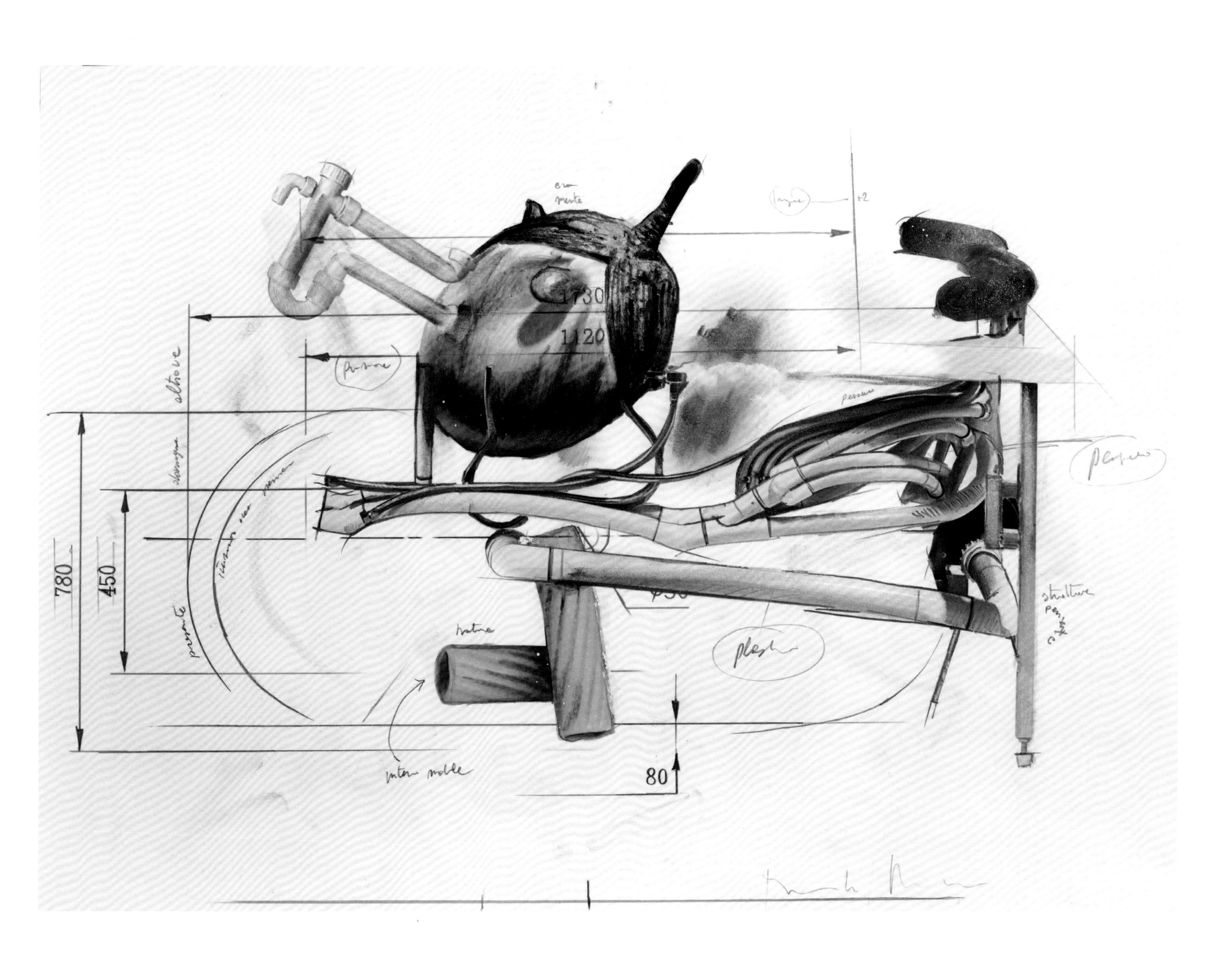
1730
1120
780
450
80

risotto mantecato al peperone rosso, burro di arachidi e alici affumicate

INGREDIENTI PER 4 PERSONE

Per le alici affumicate:
12 alici affumicate
500 ml panna

Per il burro di arachidi:
80 g arachidi tostati e salati
230 g burro di montagna

Per il risotto:
4 peperoni rossi (centrifugati)
½ scalogno
260 g riso Carnaroli
120 g Parmigiano Reggiano
120 ml vino bianco
28 g finocchietto di mare
½ cucchiao olio extravergine d'oliva
sale q.b.

PROCEDIMENTO

Per le alici affumicate
Pulire ed eviscerare le alici, quindi disporle in una placca e affumicare con l'affumicatore per 5 minuti. Tagliarle poi a listarelle e frullare gli scarti con un po' di panna ridotta del 50 per cento fino ad ottenere una crema.

Per il burro di arachidi
Frullare tutto al Bimby facendo attenzione a non scaldare tanto il burro, quindi passare al setaccio e conservare in frigo.

Per il risotto
Tostare il riso con lo scalogno e olio, quindi sfumare con il vino e continuare la cottura con il succo di peperoni rossi precedentemente centrifugati. Far cuocere per 12/15 minuti a seconda della qualità del riso usato. Far riposare un minuto e quindi mantecare con il burro di arachidi e il parmigiano.

FINITURA DEL PIATTO E PRESENTAZIONE
Disporre il risotto nel piatto di portata ultimando il tutto con le alici, la loro crema e il finocchio di mare.

red bell pepper creamy risotto, peanut butter, and smoked anchovies

INGREDIENTS FOR 4 PEOPLE

For the smoked anchovies:
12 smoked anchovies
500 ml

For the peanut butter:
80 g toasted and salted peanuts
230 g Alpine dairy farm butter

For the risotto:
4 red bell peppers (pureed)
½ shallot
260 g Carnaroli rice
120 g Parmigiano Reggiano
120 ml white wine
28 g sea fennel
salt to taste
½ tbsp. extra-virgin olive oil

METHOD

For the smoked anchovies
Clean and gut the anchovies, place on a slab and cure with a smoker for 5 minutes. Slice the anchovies in tiny strips. In a mixer blend the scraps with the cream reduced by 50% until you obtain a cream.

For the peanut butter
Blend all the ingredients in a Bimby food processor, paying attention not to overheating the butter. Then strain and store in fridge.

For the risotto
Toast the rice together with the shallot and the oil. Reduce with wine and keep cooking adding the purée of red bell peppers that have been previously blended in a mixer. Keep cooking for about 12/15 minutes, according to the type of rice used. Allow to rest for 1 minute and then make it creamier by adding the peanut butter and the Parmigiano and stirring.

FINISHING AND PRESENTATION

Dish by arranging the risotto together with the anchovies, the anchovy cream, and the sea fennel.

Arancioverdenatura, 2018
disegno su carta 45x32cm

SCALA 1:25

ziti ripieni di broccoli e frutti di mare

INGREDIENTI PER 4 PERSONE

Per la pasta:
400 g ziti secchi "Pastificio Granoro"
1 broccolo
1 broccolo romano
1 patata
80 g scalogno
1 spicchio d'aglio
2 ml colatura di alici
olio extravergine d'oliva q.b.
sale q.b.

Per i frutti di mare:
12 vongole
12 cozze
8 fasolari
8 cannelli
4 spicchi d'aglio
80 ml vino bianco
prezzemolo q.b.
20 g salicornia
olio extravergine d'oliva q.b.

PROCEDIMENTO

Per la pasta
In una casseruola far soffriggere uno spicchio d'aglio in camicia con lo scalogno e un pizzico di peperoncino. Quindi aggiungere i ciuffi di broccoli precedentemente sbollentati in acqua per alcuni istanti. Aggiungere la patata tagliata a fette sottili continuando la cottura con del brodo di broccoli che avremo preparato prima facendo bollire i loro gambi. Quando i broccoli saranno abbastanza morbidi, frullare il tutto togliendo l'aglio in camicia. Aggiustare di sale e aggiungere qualche goccia di colatura di alici. Trasferire in un *sac à poche.*

Per i frutti di mare
Aprire i frutti di mare in padella con uno spicchio d'aglio e un filo d'olio. Tutti separatamente, sfumandoli con del vino bianco e prezzemolo.

FINITURA DEL PIATTO E PRESENTAZIONE

Sbollentare gli ziti per 8 minuti in acqua salata, dopodiché raffreddarli e farcirli con la crema di broccoli. Finire la cottura in forno a vapore per qualche minuto, quindi posizionarli nel piatto, completando il tutto con i frutti di mare, dei ciuffetti di broccolo romano e della salicornia.

broccoli and seafood stuffed *ziti*

INGREDIENTI PER 4 PERSONE

For the pasta:
400 g “Pastificio Granoro” dry *ziti*
1 Romanesco cauliflower
1 potato
80 g shallots
1 garlic clove
2 ml anchovy sauce
extra-virgin olive oil to taste
salt to taste

For the seafood:
12 clams
12 mussels
8 cockles
8 razor clams
4 garlic cloves
80 ml white wine
parsley to taste
extra-virgin olive oil to taste
20 g glasswort

METHOD

For the pasta
In a saucepan, heat the olive oil and gently fry the shallot with the unpeeled garlic clove and a pinch of hot pepper. Then add the cauliflower florets that have previously been slightly boiled. Add the finely sliced potato, and keep cooking by adding the broth you have previously made with the cauliflower stems. Once the florets are soft enough, remove the unpeeled garlic clove and mix in a blender. Adjust salt and add a few drops of the anchovy sauce. Transfer into a *sac à poche*.

For the seafood
On a pan with a garlic clove and a little olive oil, allow to open all seafood, but separately, adding parsley, white wine and reducing.

FINISHING AND PRESENTATION

Parboil the *ziti* (a type of tube-shaped pasta) for 8 minutes in salted water. Allow to cool down and add the cauliflower sauce. Finish by steaming in oven for a few minutes, then plate adding the seafood, some little cauliflower florets, and the glasswort.

Tubi naturali, 2018
disegno su carta 45x32cm

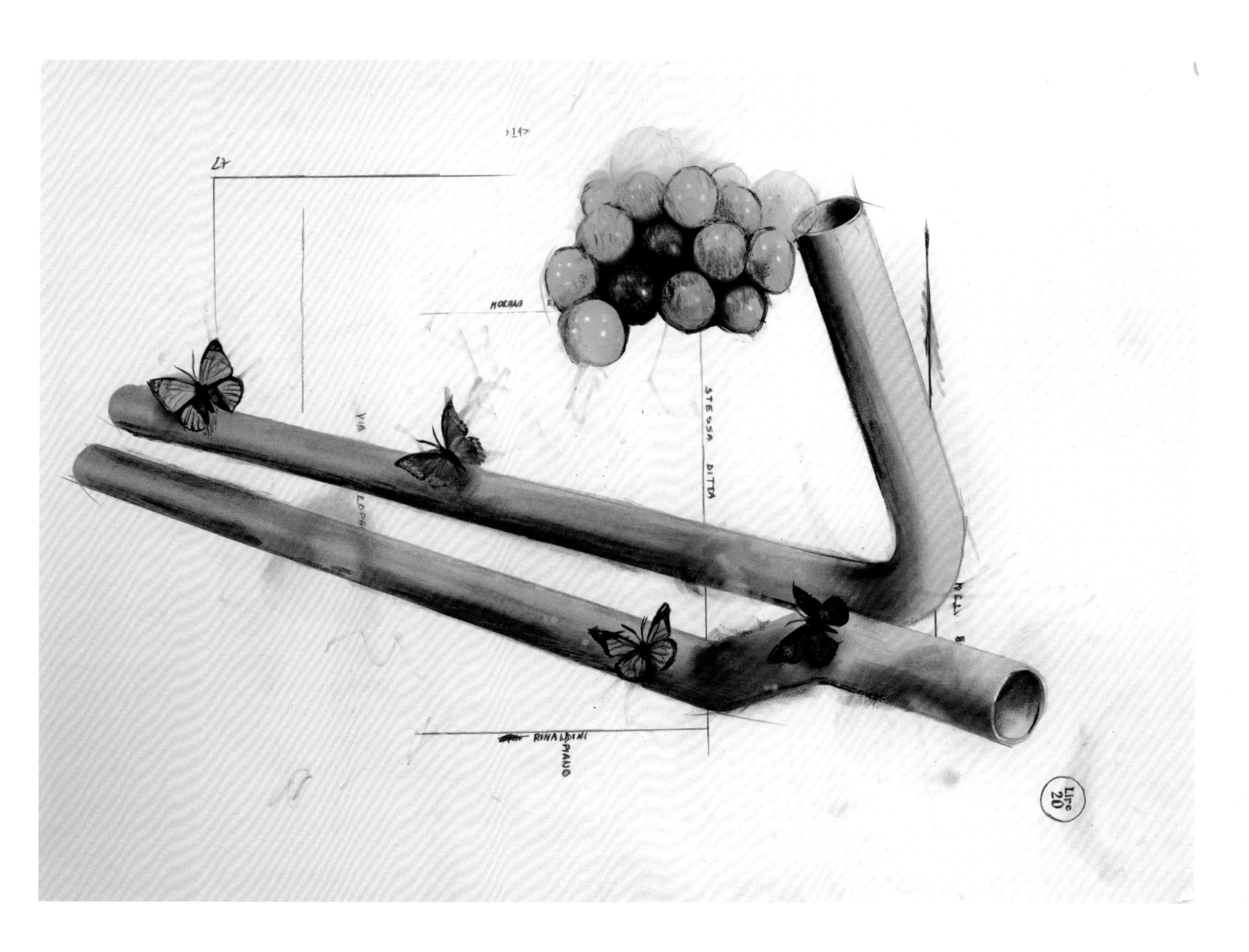
VIA
STESSA
DITTA
RINALDINI
PIANO
Lire 20

spaghettone di grano duro al pomodoro al forno, ricotta salata e salsa al basilico

INGREDIENTI PER 4 PERSONE

Per la pasta:
280 g di spaghetti "Pastificio Benedetto Cavalieri"
450 g pomodoro datterino
160 g scalogno
100 g ricotta salata
timo q.b.
germogli di basilico q.b.
2 cucchiai d'olio extravergine d'oliva
sale e pepe q.b.

Per l'olio al basilico:
1 mazzetto di basilico
100 g cubetti di ghiaccio
1 spicchio d'aglio
300 ml olio extravergine d'oliva

PROCEDIMENTO

In una placca oliata disporre i datterini tagliati a metà e lo scalogno a julienne. Spolverare di sale, pepe, timo e infornare a 190°C per 40 minuti circa e fino a quando il pomodoro sarà leggermente bruciacchiato. Nel frattempo, preparare un olio al basilico frullando il basilico con l'olio extravergine d'oliva e il ghiaccio. Aggiustare di sale, setacciare e disporre in un biberon. Quindi cucinare in acqua bollente salata gli spaghetti, per 7 minuti, dopodiché scolarli e continuare la cottura in padella con il pomodoro infornato per altri 4 minuti circa finché saranno abbastanza "al dente".

FINITURA DEL PIATTO E PRESENTAZIONE

Posizionare alla base del piatto l'olio al basilico e disporre sopra un nido di spaghetti al pomodoro. Finire il tutto con una grattata di ricotta salata e i germogli di basilico.

durum wheat oven baked tomato *spaghettone*, with salted ricotta and basil sauce

INGREDIENTS FOR 4 PEOPLE

For the pasta:
280 g "Pastificio Benedetto Cavalieri" *spaghetti*
450 g date tomatoes
2 tbsp. extra-virgin olive oil
160 g shallots
thyme to taste
basil sprouts to taste
100 g salted ricotta
salt and pepper to taste

For the basil oil:
a bunch basil
300 ml extra-virgin olive oil
100 g ice cubes
1 garlic clove

METHOD

On an oiled slab, place the date tomatoes cut in halves and the shallots cut into julienne. Sprinkle salt, pepper, and thyme and put in oven at 190°C for about 40 minutes, until the tomatoes are slightly browned. Meanwhile, make the basil oil by mixing, together with the extra-virgin olive oil and the ice, the basil that you have previously washed and cleaned. Adjust salt, strain, and transfer into a baby bottle. Put the *spaghetti* in boiling water for 7 minutes, strain, and into a pan transfer the pasta together with the tomatoes and cook for another 4 minutes, until they are al dente.

FINISHING AND PRESENTATION

On a plate, pour a bit of basil oil on which to place a nest of tomato *spaghetti*. Garnish by grating the salted ricotta on top and sprinkling some basil sprouts.

Il tempo della natura, 2018
disegno su carta 32x45cm

35
30
25
20
.6841.0600.248
320 1723 YH SP
SPEC
EMOLITION, M4
TION C4)
43 -45435-3
28/99

doppio raviolo in farcia di guancia di bue e Provolone con ciliegie al vino rosso

INGREDIENTI PER 4 PERSONE

Per la pasta:
200 g farina tipo "00"
100 g semola
10 tuorli d'uovo
sale q.b.

Per la farcia:
1 guancia di bue
1 carota
2 coste di sedano
½ cipolla
60 ml vino rosso
2 cucchiai burro chiarificato
1 cucchiaio di ricotta di bufala
300 ml latte fresco intero
150 ml panna
300 g "Provolone del Monaco"
4 fogli colla di pesce
30 ml concentrato di pomodoro
500 ml brodo di manzo
50 g Parmigiano Reggiano
50 ml brodo di pollo
10 foglie germogli di senape
erbe e spezie (alloro, bacche di ginepro, pepe in grani, chiodi di garofano q.b.)

Per le ciliegie al vino rosso:
8 ciliegie
120 ml vino Porto
60 ml vino rosso

PROCEDIMENTO

Per la pasta

Impastare il tutto mettendo sale alla fine, quindi far riposare l'impasto ben coperto in frigo per 2 ore.

Per la farcia

In una padella mettere il burro chiarificato e far rosolare la guancia di bue cicatrizzando per bene da tutti i lati. Passarla poi in forno quanto pasta. Mettere nella stessa padella un mirepoix di sedano, carota e cipolla insieme agli aromi e il concentrato di pomodoro. Cuocere tostando bene il tutto e aggiungere la guancia. Sfumare con il vino rosso, far evaporare e continuare la cottura con il brodo di manzo. Dopo 2 ore circa, quando la guancia sarà abbastanza morbida e fragile, passarla insieme alle verdure al tritacarne. Quindi, con l'aiuto di un leccapentole, lavorare il composto con un cucchiaio di ricotta e una manciata di parmigiano fino a quando sarà abbastanza omogeneo. Trasferire il tutto in un *sac à poche*. Nel frattempo andare a realizzare la seconda farcia facendo ridurre del 50 per cento la panna con il latte. Quando sarà pronta, frullare a 60°C al Bimby con il Provolone a pezzetti e la colla di pesce precedentemente ammollata in acqua fredda. Aggiustare di sale e trasferire il tutto in un *sac à poche*, quindi far tirare in frigo per qualche ora.

Per le ciliegie al vino rosso

Mettere tutti gli ingredienti in una pentola, accendere il fuoco moderato e far ridurre. Dopo 10 minuti circa togliere le ciliegie e continuare a far ridurre il Porto con il vino finché non diventi abbastanza denso.

FINITURA DEL PIATTO E PRESENTAZIONE

Stendere la pasta abbastanza sottile con l'aiuto della sfogliatrice. Quindi ricavare dei quadrati con il coppapasta. Successivamente disporre alle due estremità le due farce per il lungo, quindi confezionare piegando le due estremità verso il centro realizzando la forma di un "raviolo a due farce". Chiudere le rimanenti estremità e tuffare i doppi ravioli in acqua bollente salata per alcuni istanti. Scolarli bene e glassarli in padella con del burro e brodo di pollo. Non appena pronti, disporre 2 doppi ravioli nel piatto ultimando il tutto con le ciliegie, la riduzione al vino rosso e i germogli di senape.

Macchina per creare proiettili di pasta, 2018
disegno su carta 32x45cm

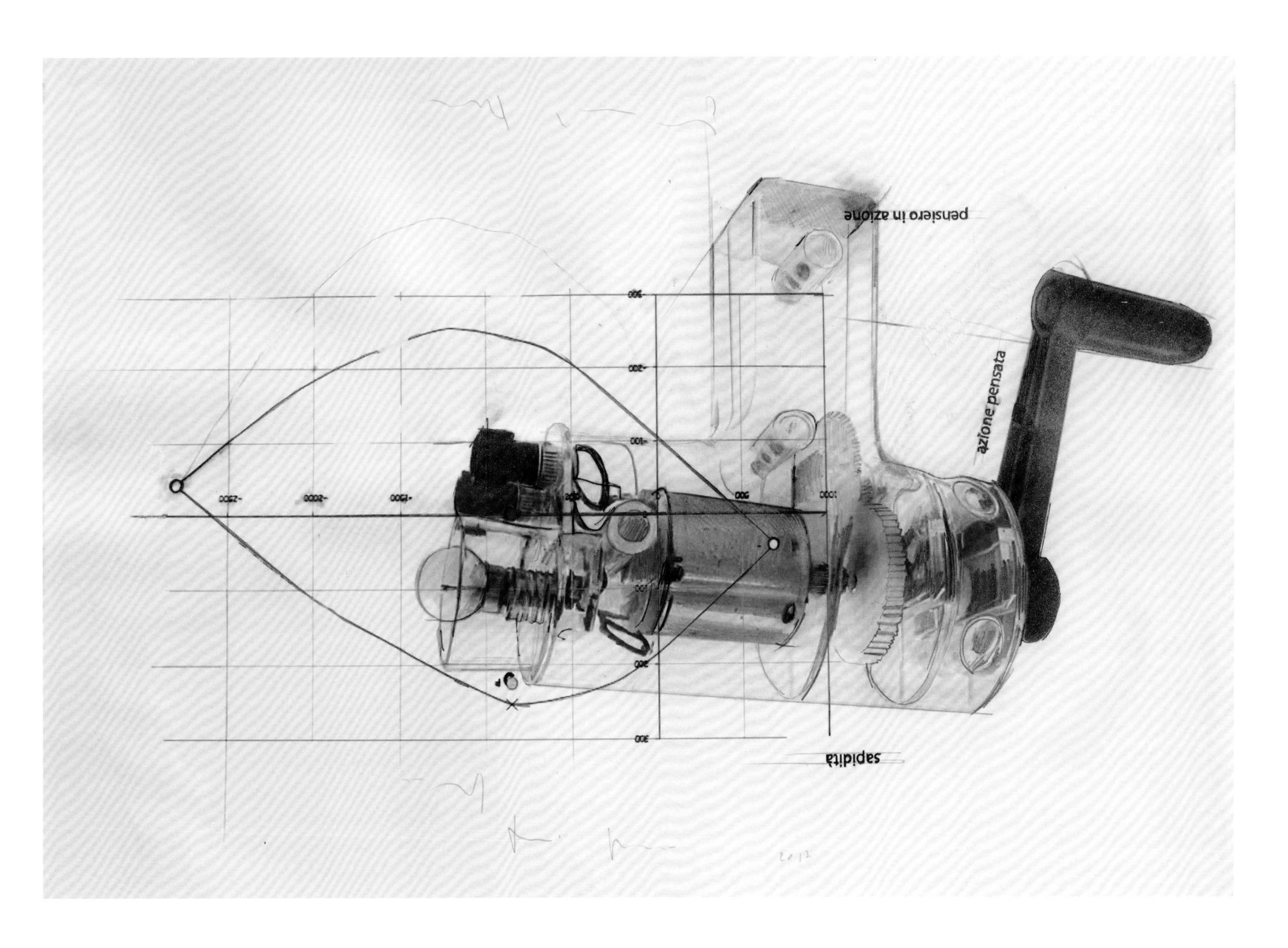
pensiero in azione
azione pensata
sapidità

beef cheek and *Provolone* stuffed double *ravioli*, with red wine cherries

INGREDIENTS FOR 4 PEOPLE

For the pasta:
200 g “00” flour
100 g semolina
10 egg yolks
salt to taste

For the filling:
1 beef cheek
1 carrot
2 celery stalks
½ onion
60 ml red wine
2 tbsp. clarified butter
1 tbsp. buffalo’s milk ricotta
300 ml fresh whole milk
150 ml fresh cream
300 g “Provolone del Monaco”
4 isinglass sheets
30 ml tomato paste
500 ml beef broth
50 g Parmigiano Reggiano
50 chicken stock
10 mustard sprout leaves
culinary herbs to taste (laurel, juniper berries, peppercorn, cloves)

For the red wine cherries:
8 cherries
120 ml Port wine
60 ml red wine

METHOD

For the pasta

Knead all the ingredients together, but add salt only the end. Then cover and allow to rest in fridge for about 2 hours.

For the filling

In a pan, put the clarified butter, then add the beef cheek, and cook until it has sealed thoroughly all around. Bake in oven just as needed. Put the beef cheek aside, and on the same pan add a mirepoix of celery, carrot, and onion, together with the herbs and the tomato paste. Sauté thoroughly and put back the beef cheek. Add red wine, reduce, and keep cooking by adding the beef stock. After about 2 hours, when the beef cheek has sensibly softened, put it together with the vegetables into a meat mincer. Then add 1 spoon of buffalo's ricotta and a handful of grated Parmigiano Reggiano and, with the help of a rubber spatula, mix until it is homogeneous. Transfer into a *sac à poche*. Meanwhile, you can start preparing the second stuffing, by reducing the fresh cream and the milk by the 50%. Once this mixture is ready, in a Bimby food processor blend it together with the diced *Provolone* and the isinglass previously soaked in water. Adjust salt and transfer into a *sac à poche*. Allow to thicken in fridge for a few hours.

For the red wine cherries

Put all the ingredients in a pot, cook at moderate heat, and reduce. After about 10 minutes, remove the cherries and keep reducing the Port and the red wine until the mixture thickens sensibly.

FINISHING AND PRESENTATION

With the help of a puffy pastry machine, roll out the dough into thin sheets. With a square-shaped pastry cutter, cut out a few thin squares of pasta. Put the two different fillings, one per side, along two opposite sides of the square and by folding inward towards the center make a "double filling *ravioli*". Seal the edges, as in a candy. Gently drop the ravioli in boiling salted water only for a few seconds. Strain well and glaze in a pan with the butter and the chicken stock. Once ready, place 2 double ravioli on a plate, and finish by adding the cherries, the reduced wine sauce, and the mustard sprouts.

tortelli al basilico con ricotta e 'nduja, scampi e acqua di pomodoro

INGREDIENTI PER 4 PERSONE

Per la pasta:
200 g farina tipo "00"
100 g semola
300 g basilico fresco
30 g pinoli
25 g Parmigiano Reggiano
10 tuorli d'uovo
5 ml olio extravergine d'oliva
6 g sale fino

Per la farcia:
180 g ricotta di bufala
20 g di 'nduja
1 grattata di buccia di limone
1 pizzico di sale

Per l'acqua di pomodoro:
500 g pomodoro ciliegino
4 scampi
germogli di basilico q.b.

PROCEDIMENTO

Per la pasta
In un bicchiere da Pacojet mettere insieme i pinoli tostati, il basilico, il parmigiano e l'olio. Abbattere di temperatura e passare per 3 volte al Pacojet fino ad ottenere un pesto. Quindi, in una impastatrice inserire le farine, i tuorli e il pesto. Far lavorare l'impasto fino quando sarà omogeneo, aggiungere infine il sale e continuare a impastare per 2 minuti. Successivamente far riposare l'impasto in frigo per qualche ora. Stendere la pasta molto sottile nella sfogliatrice e con l'aiuto di un coppapasta ricavare dei dischi dove verranno posizionati la ricotta e la 'nduja con l'aiuto di un *sac à poche*. Chiudere poi i tortelli con l'aiuto del tuorlo battuto.

Per la farcia
Impastare il tutto e trasferirlo successivamente in un *sac à poche.*

Per l'acqua di pomodoro
Sgusciare gli scampi, e mettere a essiccare le uova di scampo a 65°C per 4 ore. Frullare i pomodorini ciliegini a crudo e trasferirli in un colino foderato da un panno per filtrare. Chiudere il panno e far scolare solo l'acqua per alcune ore in frigo.

FINITURA DEL PIATTO E PRESENTAZIONE
Buttare i tortelli in acqua bollente salata, scolarli e disporli nel piatto ancora caldi. Versare l'acqua di pomodoro precedentemente aggiustata di sale, lo scampo crudo a cubetti con le sue uova e decorare il tutto con i germogli di basilico.

basil *tortelli* with ricotta and *'nduja*, scampi and tomato water

INGREDIENTS FOR 4 PEOPLE

For the pasta:
200 g "00" flour
100 g semolina
300 g fresh basil
30 g pine nuts
25 g Parmigiano Reggiano
10 egg yolks
5 ml extra-virgin olive oil
6 g table salt

For the filling:
180 g buffalo's milk ricotta
20 g *'nduja*
1 pinch salt
grated lemon zest

For the tomato water:
500 g cherry tomatoes
4 scampi
basil sprouts to taste

METHOD

For the pasta
In a Pacojet beaker, put the toasted pine nuts, the basil, the Parmigiano Reggiano, and the oil. Chill blast and mix 3 times in the Pacoject blender, until you obtain a pesto sauce. Then put the flour, the semolina, the egg yolks, and the pesto sauce in a food mixer. Knead the dough until it is homogeneous, add salt, and keep kneading for 2 minutes. Allow the dough to rest in fridge for a few hours. With the help of a puffy pastry machine, roll out the dough into very thin sheets and make some pasta discs with a round pastry cutter. Put the ricotta and the *'nduja* in a *sac à poche* and put some of this mixture on each pasta disc. Seal the discs with the beaten egg yolks.

For the filling
Mix all the ingredients and transfer into a *sac à poche*.

For the tomato water
Shell the scampi and let dry the scampi eggs at 65°C for four hours. In a blender, mix the (uncooked) cherry tomatoes and transfer into a colander with a strainer cloth. Put in fridge and strain, collecting the liquid.

FINISHING AND PRESENTATION
Gently drop the *tortelli* in boiling salted water, strain, and place on a soup plate while they are still hot. Pour the tomato water that you have previously adjusted in salt, the diced raw scampi, and their eggs. Garnish with basil sprouts.

Paesaggio al tramonto con fiori, 2018
disegno su carta 32x45cm

i Secondi
Meat and Fish Courses

vitello tonnocciolato

INGREDIENTI PER 4 PERSONE

Per il vitello:
200 g girello di vitello
erbe e spezie (bacche di ginepro,
pepe in grani, timo e aglio q.b.)

Per la salsa tonnocciolata e la maionese alla nocciola:
1 tuorlo d'uovo
80 ml olio di semi alla nocciola
50 g tonno sott'olio
3 g polvere di capperi
2 capperi disidratati
2 acciughe sott'olio

Per la finitura del piatto:
120 g tonno rosso fresco
20 g chips di amaranto
misticanza di erbe e fiori

PROCEDIMENTO

Per il vitello

Pulire dal grasso il girello di vitello, legarlo con lo spago e insaccare in una busta sottovuoto con un filo d'olio e gli aromi. Cucinare in Roner a 62°C per 30 minuti. Affettare a piacere al momento di servire.

Per la salsa tonnocciolata e la maionese alla nocciola

Frullare il tonno con le acciughe e i capperi e aggiungere la maionese alla nocciola preparata precedentemente con un tuorlo montato con l'olio di semi alla nocciola.

FINITURA DEL PIATTO E PRESENTAZIONE

Con l'aiuto di un coppapasta tondo riempire la base con il vitello affettato, quindi dividere il cerchio a metà riempiendo una metà col tonno rosso crudo e l'altra metà con la salsa tonnocciolata. Decorare con le chips di amaranto e la misticanza di erbe e fiori.

tonnocciolato veal

INGREDIENTS FOR 4 PEOPLE

For the veal:
200 g veal round steak
culinary herbs to taste (juniper berries,
peppercorn, thyme, garlic)

For the *tonnocciolato* sauce and the nut mayonnaise:
1 egg yolk
80 ml seed nut oil
50 g tuna in olive oil
3 g caper powder
2 dried capers
2 anchovies in olive oil

For the finishing:
120 g fresh red tuna
20 g amaranth chips
herb and flower mixed salad

METHOD

For the veal
Remove the fat from the veal round steak, tie the meat securely with a string, and put into a vacuum-sealed envelope together with a little oil and the herbs. Cook in Roner oven at 62°C for 30 minutes. When serving, slice as you like.

For the *tonnocciolato* sauce and the nut mayonnaise
In a blender, mix the tuna together with the anchovies and the capers. Also, add the mayonnaise you have previously made by beating one egg yolk and adding the seed nut oil.

FINISHING AND PRESENTATION

Place the sliced veal at the bottom of a round pastry cutter. On the top, place the raw red tuna on half-circle, and the *tonnocciolato* sauce on the other half. Remove the mold. Garnish with the amaranth chips and the herb and flower mixed salad.

Passion, 2018
disegno su carta 32x45cm

crudo di Luganega, crema di scarola e pralina di formaggio liquido

INGREDIENTI PER 4 PERSONE

Per il crudo di Luganega:
160 g Luganega cruda
sale e pepe q.b.

Per la crema di scarola:
80 g scarola
1 cipollotto
200 g patate
200 ml brodo di verdure
60 ml olio extravergine d'oliva

Per la scarola marinata:
1 scarola intera da 50 g
5 ml aceto bianco
20 ml olio extravergine d'oliva
10 g sale

Per la pralina di parmigiano:
260 g Parmigiano Reggiano
1 litro panna
250 ml latte fresco intero
14 g colla di pesce
120 g farina "00"
1 uovo battuto
200 g pane *panko*

Per la finitura del piatto:
10 g polvere di patata viola ottenuta da 1 patata viola lessa e disidratata.

PROCEDIMENTO

Per la crema di scarola

Tagliare a julienne la scarola, sbollentarne metà e farla raffreddare in acqua e ghiaccio. Con l'altra metà preparare una crema partendo da un soffritto di cipollotto e patata, aggiungere la scarola a julienne e continuare per altri 15 minuti circa la cottura con del brodo di verdure. Quindi, unire la scarola sbollentata e frullare con un filo d'olio finché non otterremo una crema liscia. Aggiustare di sale e pepe.

Per la scarola marinata

Tagliare la scarola in più pezzi e metterla sottovuoto con olio, sale e aceto. Far marinare per almeno un giorno prima di servirla a foglie.

Per la pralina di parmigiano

Far ridurre la panna e latte del 50 per cento e frullare al Bimby con il parmigiano fino ad ottenere una fonduta. Portare il composto a 70°C e aggiungere la colla di pesce precedentemente ammollata in acqua. Disporre il tutto in stampini a forma di sfera e abbattere in negativo. Sformare e procedere alla panatura con la farina, prima, l'uovo e il pane *panko,* per finire. Ripetere l'operazione una seconda volta solamente con uovo sbattuto e pane *panko*. Conservare a 18°C e friggere prima di servire.

FINITURA DEL PIATTO E PRESENTAZIONE

Disporre sul fondo del piatto la crema di scarola e appoggiarvi due polpette di crudo di Luganega. Finire il piatto con la pralina fritta di parmigiano, le foglie di scarola marinata e la polvere di patata viola.

Calibrare il tempo e gli odori, 2018
disegno su carta 32x45cm

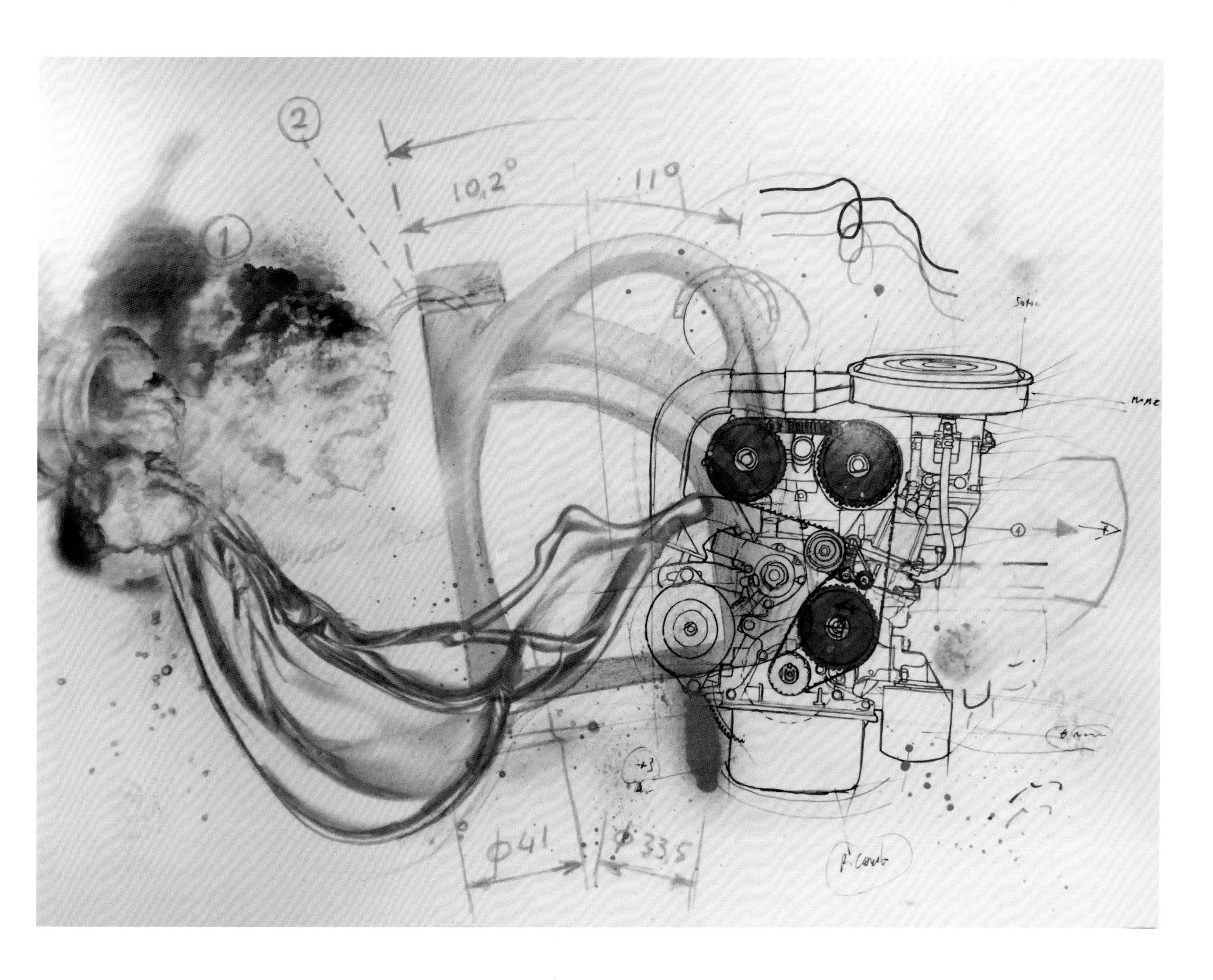
2
1
10,2°
11°
φ41
φ33,5

Luganega tartare, escarole cream, and creamy cheese praline

INGREDIENTS FOR 4 PEOPLE

For the *Luganega* tartare:
160 g *Luganega* sausage
salt and pepper to taste

For the escarole cream:
80 g escarole
1 shallot
200 g potato
200 ml vegetable stock
60 ml extra-virgin olive oil

For the marinated escarole:
A whole scarole (50 g)
5 ml white vinegar
20 ml extra-virgin olive oil
10 g salt

For the Parmigiano praline:
260 g Parmigiano Reggiano
1 l cream
250 ml whole milk
14 g isinglass
120 g "00" flour
1 beaten egg yolk
200 g panko breadcrubms

For the finishing:
10 g of purple potato powder, obtained by boiling and dehydrating a purple potato

METHOD

For the escarole cream

Cut the escarole into julienne, parboil half of it, and let cool down in ice water. Prepare a cream by gently frying the shallot and the potato, then adding the other half escarole, and keep cooking for another 15 minutes by adding the vegetable stock. Then add the escarole you had previously parboiled and in a blender mix all the ingredients adding a little oil until you obtain a smooth cream. Adjust salt and pepper.

For the marinated escarole

Chop the escarole and vacuum-seal it with oil, salt, and vinegar. Allow to marinate for at least one day before serving by the leaf.

For the Parmigiano praline

Reduce the cream and the milk by 50%, put in a Bimby food processor together with the Parmigiano Reggiano until you obtain a fondue. Bring the temperature to 70°C and add the isinglass previously soaked in water. Pour the mixture in spherical molds and chill blast. Remove it from the molds and bread with flour, the beaten egg yolk, and panko breadcrumbs. Repeat the operation, this time without the flour. Store at 18°C and deep fry before serving.

FINISHING AND PRESENTATION

At the bottom of the plate pour some escarole cream, adding on top two *Luganega* tartare meatballs. Finish by adding the fried Parmigiano Reggiano praline, the marinated escarole leaves, and the purple potato powder.

agnello nostrano di Puglia in tre passaggi

INGREDIENTI PER 4 PERSONE

Per la spalla alle erbe:
1 spalla di agnello da 800 g circa
1 mazzetto rosmarino
1 mazzetto timo
1 mazzetto maggiorana
1 mazzetto erba cipollina
1 mazzetto basilico
1 mazzetto menta
1 mazzetto melissa
1 mazzetto acetosa
400 g burro salato
20 g Parmigiano Reggiano
100 g rete di maiale
olio extravergine d'oliva q.b.
sale q.b.

Per il fagottino ripieno al ragù di agnello:
1 coscia di agnello da 600 g circa
200 g polpa d'agnello
½ cipolla
1 carota
1 costa di sedano
1 spicchio d'aglio in camicia
20 g concentrato di pomodoro
20 g Parmigiano Reggiano
2 fogli pasta *wonton*
20 ml vino rosso
220 ml brodo di verdure
35 g burro
timo q. b.

Per la crema di peperoni gialli:
2 peperoni gialli
150 g patata
1 cipollotto
olio extravergine d'oliva q.b.
20 g sale

Per la sfera di bieta e fegato:
120 g fegato di agnello
60 g fegato pollo
1 cipolla
15 ml cognac
15 ml panna ridotta del 40%
30 g burro
1 mazzo bieta
30 g mela verde a brunoise
olio extravergine d'oliva q.b.

Per il paté di fegato:
250 g fegato di agnello
150 g burro
30 ml vino bianco
1 foglia di alloro

PROCEDIMENTO

Per la spalla alle erbe

Pulire per bene le erbe e trasferire in un bicchiere da Pacojet con il parmigiano, un pizzico di sale e un filo d'olio. Quindi abbattere in negativo e pacossare per 3 volte fino a quando otteniamo un pesto di erbe a cui andremo ad aggiungere il burro salato. Conservare in frigo il panetto di burro alle erbe ottenuto e iniziare a lavorare la spalla eliminando le ossa che ci serviranno per il fondo di agnello. Quindi, aprirla a libro e batterla leggermente, spalmando sopra il burro alle erbe e rotolando la carne su se stessa realizzando un involtino. Avvolgerla quindi nella rete di maiale e cuocere sottovuoto a 62°C per 2 ore e mezza.

Per il fagottino ripieno al ragù di agnello

Tagliare la coscia a cubetti, quindi saltarla per alcuni istanti in padella con del timo e uno spicchio d'aglio e aggiungerla ad un soffritto di sedano, carota e cipolla. Sfumare con il vino rosso. Unire al composto il concentrato di pomodoro e continuare la cottura per 3 ore circa aggiungendo del brodo di verdure. Finita la cottura trasferire il ragù in una planetaria e montare con burro e parmigiano. Aggiustare di sale e pepe. Ricavare quadrati di pasta *wonton* e riempire il centro con il ragù. Unire le 4 punte ottenendo un fagottino che andremo a friggere al momento.

Per la crema di peperoni gialli

Cuocere i peperoni interi a 190°C per 40 minuti circa. Nel frattempo, far sudare in una casseruola il cipollotto con la patata tagliati a dadini e non appena i peperoni saranno cotti, spellarli, privarli dei semi e frullare tutto insieme. Passare a setaccio la crema ottenuta e aggiustare di sale.

Per la sfera di bieta e fegato

Cuocere a tegame coperto la cipolla tagliata a julienne con l'olio, aggiungere i fegatini e alterare la fiamma da bassa a alta. Fiammeggiare al cognac e continuare la cottura. Una volta terminata la cottura, frullare il tutto con la panna ridotta, la mela a crudo e il burro. Sbollentare a parte le foglie di bieta in acqua salata che andremo poi a farcire ricavando delle sfere.

Per il paté di fegato

Cuocere tutto in un Thermomix a 95°C per 12 minuti dopodiché, non appena raffreddato il composto, aggiungere il burro freddo.

Gioia, 2018
disegno su carta 32x45cm

gioia for ever

local pugliese lamb in three steps

INGREDIENTS FOR 4 PEOPLE

For the herbs lamb shoulder:
1 lamb shoulders (800 g)
1 bunch rosemary
1 bunch thyme
1 bunch marjoram
1 bunch chives
1 bunch basil
1 bunch mint
1 bunch lemon balm
1 bunch sorrel
400 salt butter
20 g Parmigiano Reggiano
100 g caul fat
extra-virgin olive oil to taste
salt to taste

For the lamb ragout filled dumpling:
1 lamb leg (600 g)
200 g lamb meat
½ onion
1 carrot
1 celery stalk
1 unpeeled garlic clove
20 g tomato paste
20 g Parmigiano Reggiano
2 sheets wonton pastry
20 ml red wine
220 ml vegetable stock
35 g butter
thyme to taste

For the yellow pepper cream:
2 yellow bell pepper
1 potato (150 g)
1 shallot
extra-virgin olive oil to taste
20 g salt

For the chard and liver sphere:
120 g lamb liver
60 g chicken liver
1 onion
15 ml cognac
15 ml reduced cream
30 g butter
1 bunch chard
30 g green apple brunoise
extra-virgin olive oil to taste

For the liver paté:
250 g lamb liver
150 butter
30 ml white wine
1 laurel leaf

METHOD

For the herbs lamb shoulder

Wash and clean the herbs thoroughly and put in a Pacojet beaker together with the Parmigiano Reggiano, a pinch of salt, and a drizzle oil. Blast freeze and pacotize 3 times until you obtain a herb pesto to which you will add the salt butter. Store in fridge the pat of herb butter. Take the lamb shoulders and remove the bones that will be used for the lamb cooking juice. Butterfly the meat and beat slightly with a tenderizer. Spread the herb butter and roll the meat until you get a cylinder shape. Wrap in the caul fat and cook in a vacuum sealed bag at 62°C for 2 hours and a half.

For the lamb ragout filled dumpling

Dice the lamb leg into small cubes, sautée for a little on a pan together with the thyme and the garlic clove. In another pan, gently fry the celery, the carrot, and the onion. Add the lamb meat and the red wine. Reduce. Add in the tomato paste and keep cooking for about 3 hours adding the vegetable stock. Transfer the ragout into a planetary mixer and whisk with the butter and the Parmigiano Reggiano. Adjust salt and pepper. Make square-shaped wonton pastries and put the ragout in the middle. Join the four ends so to obtain a dumpling to be friend immediately before serving.

For the yellow bell pepper cream

In oven, roast the yellow bell peppers at 190°C for about 40 minutes. Remove the skin and the seeds. Meanwhile, on a saucepan, brown the diced shallot and the potato. As soon as the yellow bell peppers are ready, put in a mixer and blend together with the shallot and the potato. Strain the cream you have obtained and adjust salt.

For the chard and liver sphere

Cut the onion into julienne and brown in a saucepan. Add the liver and raise the heat. Flambé with cognac and keep cooking. Once the liver is cooked, transfer in a food processor and blend together with the reduced cream, the apple, and the butter. In a separate pot, in salted water parboil the chard that will be used to make stuffed spheres.

For the liver paté

In a Thermomix, cook all the ingredients at 95°C for 12 minutes. Allow to cool down and, once cold, add the butter.

filetto di cervo e sfumature di rosso

INGREDIENTI PER 4 PERSONE

Per il filetto di cervo:
400 g filetto di cervo

Per le ciliegie al vino rosso:
8 ciliegie
40 ml vino rosso
10 ml vino Porto
6 ml aceto di lamponi
5 g miele di Acacia
2 bacche di ginepro
1 stecca di cannella

Per il rabarbaro in agrodolce:
4 coste rabarbaro
8 ml aceto
2 g zucchero
120 ml acqua

Per la rapa rossa al sale:
1 kg sale grosso
1 rapa rossa
14 ml succo di arancia
14 g burro

Per la finitura del piatto:
12 g burro chiarificato
16 g burro salato
2 cucchiai fondo di cervo
timo q.b.

PROCEDIMENTO

Per il filetto di cervo
Pulire il filetto di cervo e legarlo con uno spago.

Per le ciliegie al vino rosso
In casseruola mettere tutti gli ingredienti tranne le ciliegie. Far ridurre del 50 per cento il composto. Togliere dal fuoco e aggiungere le ciliegie precedentemente denocciolate. Marinare per 2/3 ore e conservare nel frigo.

Per il rabarbaro in agrodolce
Pulire il rabarbaro e mettere il tutto in una busta sottovuoto. Quindi cuocere a vapore per 8/9 minuti.

Per la rapa rossa al sale
Pulire la rapa rossa e cucinare con tutta la buccia sotto sale per un'ora e 20 minuti circa. Dopodiché spellarli e frullare con il burro e il succo di arancia. Aggiustare di sale se necessario.

FINITURA DEL PIATTO E PRESENTAZIONE
Rosolare a fuoco alto con il burro chiarificato il filetto di cervo cicatrizzando per bene tutte le pareti. Abbassare la fiamma e continuare la cottura rosandolo con il burro salato e il timo per 2 minuti circa, tenendo la carne con una temperatura al cuore di 45°C. Far riposare a 60°C per 10 minuti. Procedere all'impiattamento sistemando le ciliegie al vino, una striscia di rabarbaro e la purea di rapa rossa. Quindi tagliare il filetto, salarlo e napparlo con il fondo del cervo.

Rosso cuore, 2018
disegno su carta 32x45cm

strumentalizzare la natura

venison fillet and red nuances

INGREDIENTS FOR FOUR PEOPLE

For the venison fillet:
400 g venison fillet

For the red wine cherries:
8 cherries
40 ml red wine
10 ml Port wine
6 ml raspberry vinegar
5 g Acacia honey
2 juniper berries
1 cinnamon stick

For the sweet and sour rhubarb:
4 rhubarb stalks
8 ml vinegar
2 g sugar
120 ml water

For the salt beetroot:
1 kg coarse salt
1 beetroot
14 ml orange juice
14 g butter

For the finishing:
12 g clarified butter
16 g salt butter
2 tbsp. venison cooking juice
thyme to taste

METHOD

For the venison fillet
Clean the venison fillet and tie firmly with a string.

For the red wine cherries
In a saucepan, put all the ingredients except the cherries. Reduce the mixture by the 30%. Remove from heat and add the cherries that you have previously pitted. Marinate for 2/3 hours and store in fridge.

For the sweet and sour rhubarb
Clean the rhubarb and transfer into a vacuum-sealed envelope. Steam for 8/9 minutes.

For the salt beetroot
Clean the beetroot, but leaving it unpeeled, and cook under salt for about 1 hour e 20 minutes. Peel and blend with the butter and the orange juice. Adjust salt.

FINISHING AND PRESENTATION
In a pan, put the clarified butter and brown the venison over high heat, sealing it thoroughly all around. Reduce heat and keep cooking browning the venison with salt butter and thyme for around 2 minutes, keeping the core temperature at 45°C. Allow to rest at 60°C for 10 minutes. Plate by arranging the red wine cherries, 1 rhubarb stalk, and the beetroot purée. Slice the fillet, add salt, and glaze with the venison cooking juices.

capesante crispy bacon con misticanza di erbe, citronette di pesca e salsa *ponzu*

INGREDIENTI PER 4 PERSONE

Per le capesante:
4 capesante
500 g cotenna maiale
2 albumi d'uovo
50 ml salsa *ponzu*
200 g sali di silicio
sale q.b.

Per la misticanza di erbe e fiori:
60 g misticanza di erbe e fiori

Per la citronette alla pesca:
2 pesche gialle
8 ml succo di limone
30 ml olio extravergine d'oliva
sale q.b.

PROCEDIMENTO

Per le capesante
Far spurgare in acqua corrente la cotenna di maiale per circa 2 ore, in modo da privarla dalle impurità. Quindi, cuocere per un minimo di 4/5 ore finché non sarà sufficientemente morbida. Raffreddarla, asciugarla e tagliare a brunoise a piccola dadolata. Essicarla poi in essicatore per due giorni a 160°C. Conservare quindi in contenitori con i sali di silicio. Al momento di servire, panare le capesante con la cotenna secca e bagnarle negli albumi. Friggere a 190°C per alcuni istanti in modo che la cotenna soffi come un pop corn e all'interno la capasanta rimanga bavosa. Asciugarle e salarle.

Per la misticanza di erbe e fiori
Pulire la misticanza di erbe e fiori e conservare tra due fogli di carta umida.

Per la citronette alla pesca
Centrifugare due pesche precedentemente pulite e private dal nocciolo. Montare il succo di pesca ottenuto con l'olio, il succo di limone e un pizzico di sale.

FINITURA DEL PIATTO E PRESENTAZIONE
Disporre la misticanza sul piatto dopo averla condita con sale olio e pesca a cubetti. Sistemare sopra la capasanta e ultimare con la citronette alla pesca e la salsa *ponzu*.

crispy bacon scallops in herb mixed salad, peach citronette dressing, and *ponzu* sauce

INGREDIENTS FOR 4 PEOPLE

For the scallops:
4 scallops
500g pork rind
2 egg whites
50 ml *ponzu* sauce
200 g silicon salt
salt to taste

For the herb and flower mixed salad:
60 g herb and flower mixed salad

For the peach citronette dressing:
2 yellow nectarines
30 ml extra-virgin olive oil
8 ml lemon juice
salt to taste

METHOD

For the scallops
Leave the pork skin in water for about 2 hours. Transfer on a pot and cook for at least 4/5 hours, until quite tender. Allow to cool down, dry, and cut into small brunoise. Desiccate in a drying oven for two days at 160°C. Store in containers in the silicon salt. When serving, stuff the scallops with the dried pork skin, and soak in egg whites. Fry at 190°C for a few seconds, so that the pork rind puffs like popcorn while the inside of the scallops remains moist. Allow to dry and salt.

For the herb and flower mixed salad
Clean the herb and flowers for the mixed salad and store aside between two sheets of wet paper.

For the peach citronette dressing
In a food mixer, blend two peaches that you have previously washed and pitted. Whisk the peach juice together with the oil, the lemon juice, and a pinch of salt.

FINISHING AND PRESENTATION

On a plate, arrange the herb and flowers mix salad previously dressed with salt, oil, and the diced peach. Place the scallop on top and dress with the peach citronette and the *ponzu* sauce.

Levitazione, 2018
disegno su carta 32x45cm

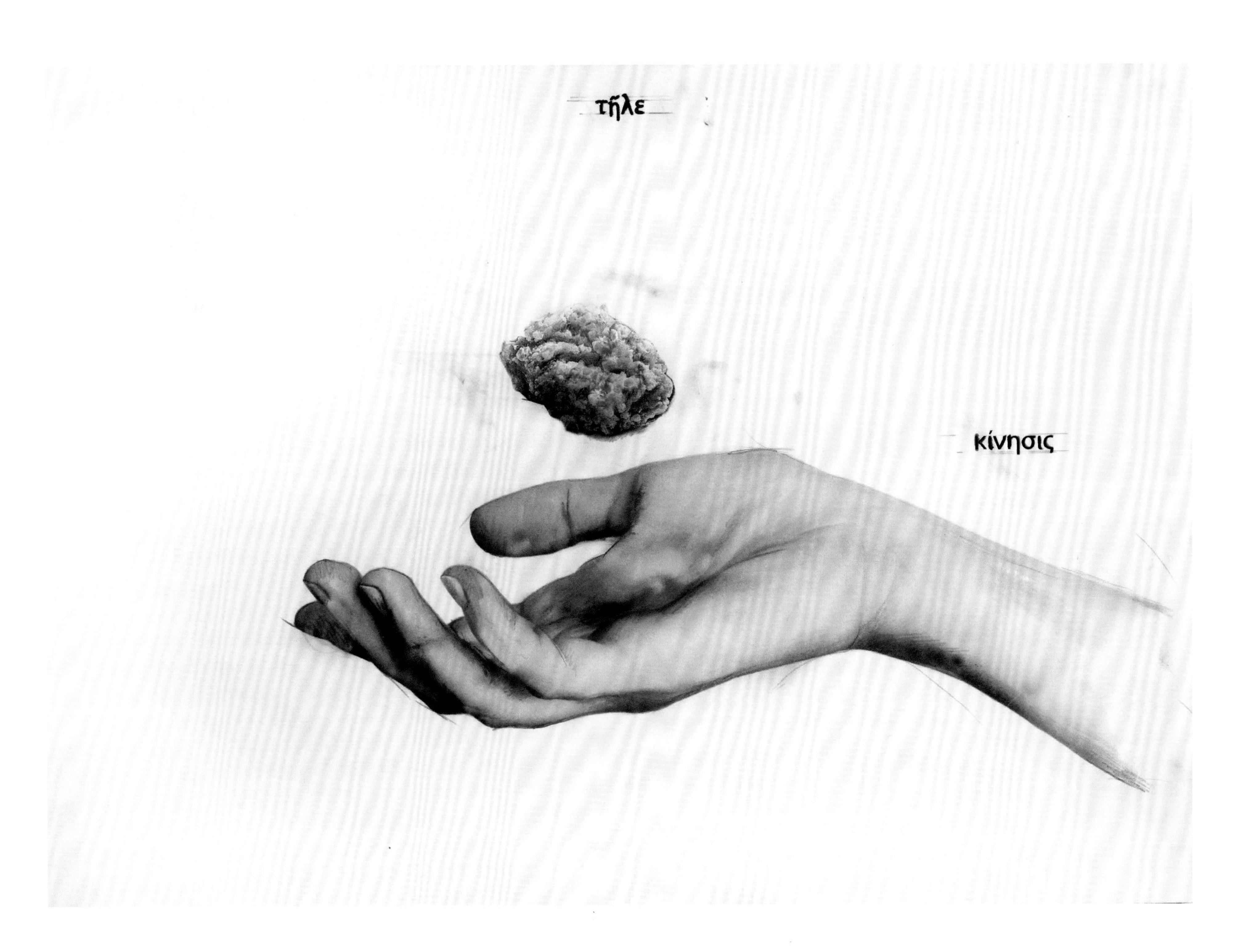
τῆλε
κίνησις

garusoli, spuma di patata al prezzemolo, alghe e tarallo pugliese

INGREDIENTI PER 4 PERSONE

Per il pesto di prezzemolo:
200 g foglie di prezzemolo
20 g Parmigiano Reggiano
1 cucchiaio d'olio extravergine d'oliva

Per la spuma:
2 patate
30 ml panna fresca
2 cipollotto
1 spicchio d'aglio
300 ml fumetto di pesce
sale e pepe q.b.

Per i garusoli:
800 g garusoli
2 litri acqua di mare

Per la finitura del piatto:
120 g taralli pugliesi
40 g alga di mare (alga Codium)

PROCEDIMENTO

Per il pesto al prezzemolo
Inserire in un bicchiere da Pacojet le foglie del prezzemolo precedentemente pulite, il formaggio grattugiato e l'olio. Abbattere a 30°C e pacossare per 3 volte finché non otterremo un pesto omogeneo.

Per la spuma
Tostare aglio e cipollotto con un cucchiaio di olio. Aggiungere le patate a cubetti e continuare la cottura con del fumetto di pesce. Quando le patate saranno morbide, frullare al Bimby con la panna e aggiustare di sale e pepe. Far raffreddare e aggiungervi due cucchiai di pesto al prezzemolo. Mettere poi il tutto in un sifone con due cariche.

Per i garusoli
Sciacquare in acqua corrente i garusoli, metterli in una pentola con l'acqua di mare e far partire la loro cottura da freddo e a fuoco basso per circa un'ora. Far raffreddare nella stessa acqua in modo che la carne dei garusoli si ammorbidisca.

FINITURA DEL PIATTO E PRESENTAZIONE
Passare al Bimby i taralli ottenendo una polvere. Disporre la spuma sul fondo del piatto, aggiungere i garusoli leggermente riscaldati con la propria acqua e finire il tutto con la polvere di taralli e le alghe di mare.

garusoli, parsley potato mousse, seaweed, and *tarallo pugliese*

INGREDIENTS FOR 4 PEOPLE

For the parsley pesto:
200 g parsley leaves
20 g Parmigiano Reggiano
1 tbsp. extra-virgin olive oil

For the mousse:
2 potatoes
30 ml cream
2 shallots
1 garlic clove
300 ml fish fumet
salt and pepper to taste

For the *garusoli*:
800 g *garusoli*
2 l seawater

For the finishing:
120 g *taralli pugliesi*
40 g seaweed (alga Codium)

METHOD

For the parsley pesto
In a Pacojet beaker, put the parsley leaves previously washed, the grated cheese, and the oil. Bring temperature to 30°C and pacotize for three times until you obtain a homogeneous pesto.

For the mousse
In a pan, toast garlic and shallots with a tbsp. oil. Add the diced potatoes and keep cooking by adding some fish fumet. Once the potatoes are soft, transfer the mixture into a Bimby food processor and blend together with the cream. Adjust salt and pepper. Allow to cool down and add two tablespoons parsley pesto. Transfer into a siphon bottle and charge with two charges.

For the *garusoli*
Wash and rinse the *garusoli* (sea snails) under tap water. Place in a pot of cold water and cook at low heat for about 1 hour. Allow to cool down in the same water so that the sea snail meat softens.

FINISHING AND PRESENTATION

In a Bimby food processor, grind the *taralli pugliesi* until they are very finely crumbled. In a plate, put the mousse at the bottom, add the *garusoli* that have been slightly heated in their own water, and finish with the *taralli* crumbs.

Acquarium, 2018
disegno su carta 32x45cm

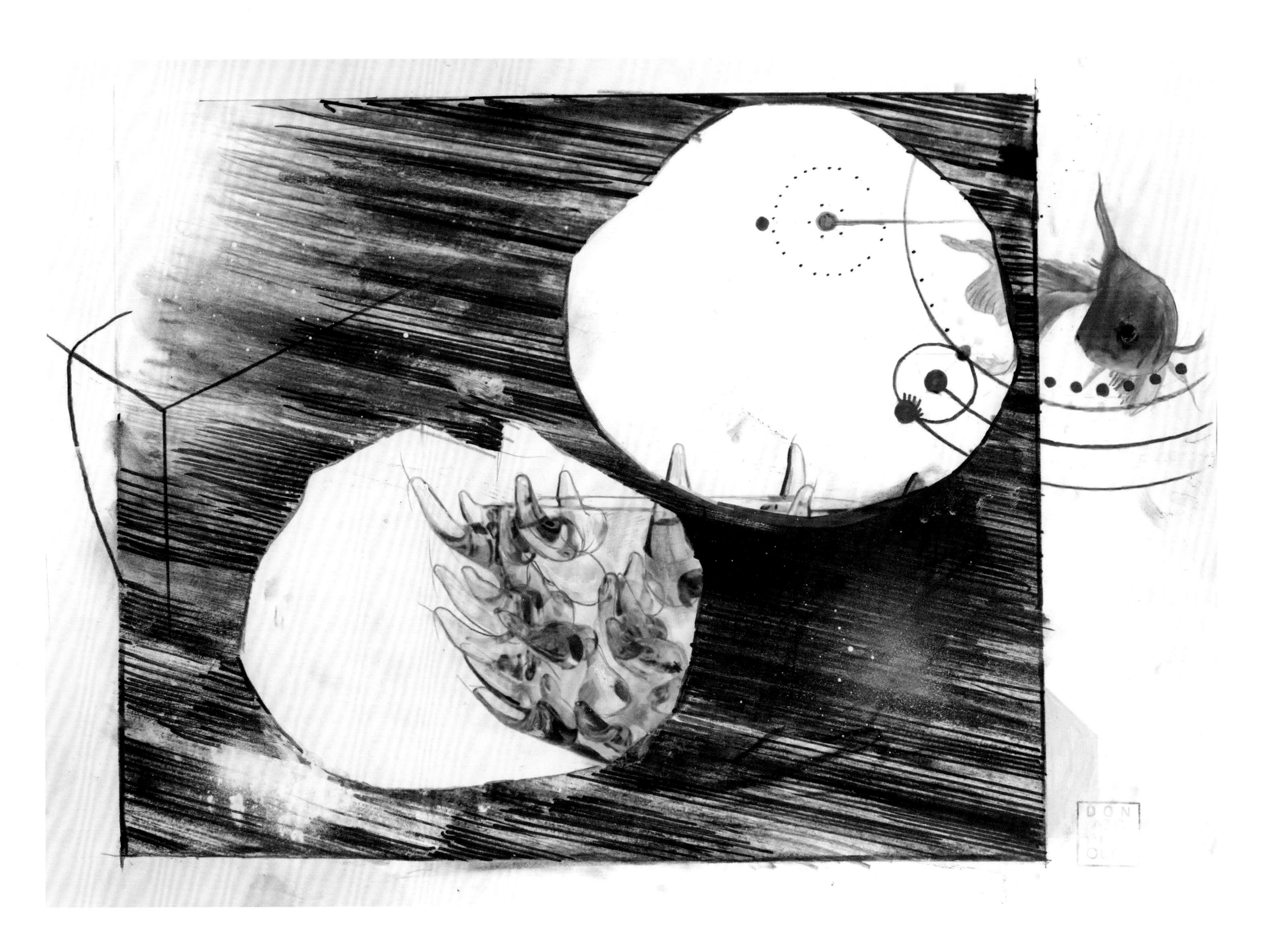
DON

astice alla catalana “a modo mio”

INGREDIENTI PER 4 PERSONE

Per la mia ricetta:
2 astici da 500 g circa cadauno
1 cipolla rossa
8 pomodori San Marzano
4 pomodori ciliegino gialli
4 pomodori datterini arancio
80 g cetriolo
1 carota
1 zucchina
80 g pane di Altamura
20 g alga di mare (alga Codium)
25 ml aceto bianco
50 g peperone rosso
qualche goccia di tabasco
20 germogli di basilico
zucchero q.b.
sale e pepe q.b.

PROCEDIMENTO

Dividere le chele dal corpo dell’astice quindi tuffare tutto in acqua bollente: lasciare cuocere per un minuto il corpo, e per 7 minuti le chele. Raffreddare in acqua e ghiaccio e con l’aiuto di una pinza estrarre la polpa da conservare in frigo. Marinare la cipolla mettendola in una busta sottovuoto con una soluzione di aceto, acqua e zucchero e cuocere a vapore a 90°C per 5 minuti e raffreddare in acqua e ghiaccio. Praticare un’incisione a tutti i pomodorini, sbollentarli in acqua bollente per 10 secondi e raffreddare in acqua e ghiaccio. Spellarli e conservare in frigo. Con una mandolina realizzare delle strisce di carota, cetriolo e zucchina e rotarli su sé stessi. Con il pane di Altamura fare dei crostini infornando il pane tagliato a pezzetti a 190 °C per 7 minuti. Preparare un gazpacho di pomodori frullando assieme i pomodori San Marzano con il peperone rosso, mezzo cetriolo e qualche goccia di tabasco. Filtrare il tutto e aggiustare di sale e pepe.

FINITURA DEL PIATTO E PRESENTAZIONE

Assemblare il tutto su un piatto fondo, decorare con dei germogli di basilico, l’alga Codium e il gazpacho di pomodori

catalan lobster "my way"

INGREDIENTS FOR 4 PEOPLE

For "my" recipe:
2 lobsters (500 g each)
1 red onion
8 plum tomatoes
4 yellow cherries tomatoes
4 orange date tomatoes
80 g cucumber
1 carrot
1 zucchini
80 g Altamura bread
20 g seaweed (alga Codium)
25 ml white vinegar
50 g red pepper
Tabasco drops
20 g basil sprouts
sugar to taste
salt and pepper to taste

METHOD

Remove the claws from the lobster body, then drop in boiling water. Cook the body for 1 minute and the claws for 7 minutes. Allow to cool down in ice water and, with the help of a plier, scoop out the meat and store in fridge. Marinate the onion in a vacuum sealed envelope in vinegar, water, and sugar and steam at 90°C for 5 minutes and allow to cool down in water and ice. Make a slit in each cherry tomato, parboil in boiling water for 10 seconds, and allow to cool down in water and ice. Peel and store in fridge. With a mandolin, slice the carrot, the cucumber, and the zucchini into strips and make little rolls with each of them. Make some crostini by slicing the Altamura bread and toasting in oven at 190°C for 7 minutes. Prepare a tomato gazpacho by blending together the plum tomatoes, half cucumber, and a few Tabasco drops. Strain and adjust salt and pepper.

FINISHING AND PRESENTATION

In a soup plate, arrange the lobster, the marinated onion, the tomatoes, the carrot, cucumber and zucchini rolls, and the crostini. Garnish with the basil sprouts, the alga Codium, and the tomato gazpacho.

La direzione dell'amore, 2018
disegno su carta 32x45cm

orrezione amore gene

le pietre di mare

INGREDIENTI PER 4 PERSONE

Per le pietre:
120 g polpa di branzino
1 g plancton
erba cipollina q.b.
buccia di limone q.b.

Per la nappatura all'acciuga:
6 filetti di acciuga
1 cipollotto
200 ml fumetto di pesce
1 patata
200 ml panna
2 g gomma kappa
olio extravergine d'oliva q.b.

PROCEDIMENTO

Per le pietre
Tagliare la polpa di branzino tritandola con il coltello e poi condire con la buccia di limone, l'erba cipollina e il plancton. Quindi trasferire in stampi a forma di pietra e abbattere in negativo.

Per la nappatura all'acciuga
Realizzare una salsa all'acciuga partendo da un soffritto di cipolla e acciuga, quindi aggiungere la patata e continuare la cottura per un'ora circa. Dopodiché aggiungere la panna e il fumetto e far cuocere per altri 20 minuti. Frullare e filtrare. Mettere sul fuoco con 2 g di gomma kappa dove andremo ad immergere per due volte le pietre di branzino con l'aiuto di uno stecco.

water stones

INGREDIENTS FOR 4 PEOPLE

For the stones:
120 sea bass meat
1 g plancton
chives
lemon zest to taste

For the anchovy nappage:
6 anchovy fillets
1 shallot
200 ml fish fumet
1 potato
200 ml cream
2 g kappa powder
extra-virgin olive oil to taste

METHOD

For the stones
Slice the sea bass meat and mince finely with the help of a knife and add the lemon zest, the chives, and the plancton. Transfer into stone-shaped molds and blast freeze.

For the anchovy nappage
Make an anchovy sauce by gently frying the shallot and the anchovy fillets, then add the potato and keep cooking for about an hour. Add the cream and the fish fumet and cook for another 20 minutes. In a mixer, bland and strain. Put this mixture in a saucepan together with 2 g kappa powder. To finish, with the help of a stick, soak twice the sea bass stones in the sauce.

Strani sogni, 2018
disegno su carta 32x45cm

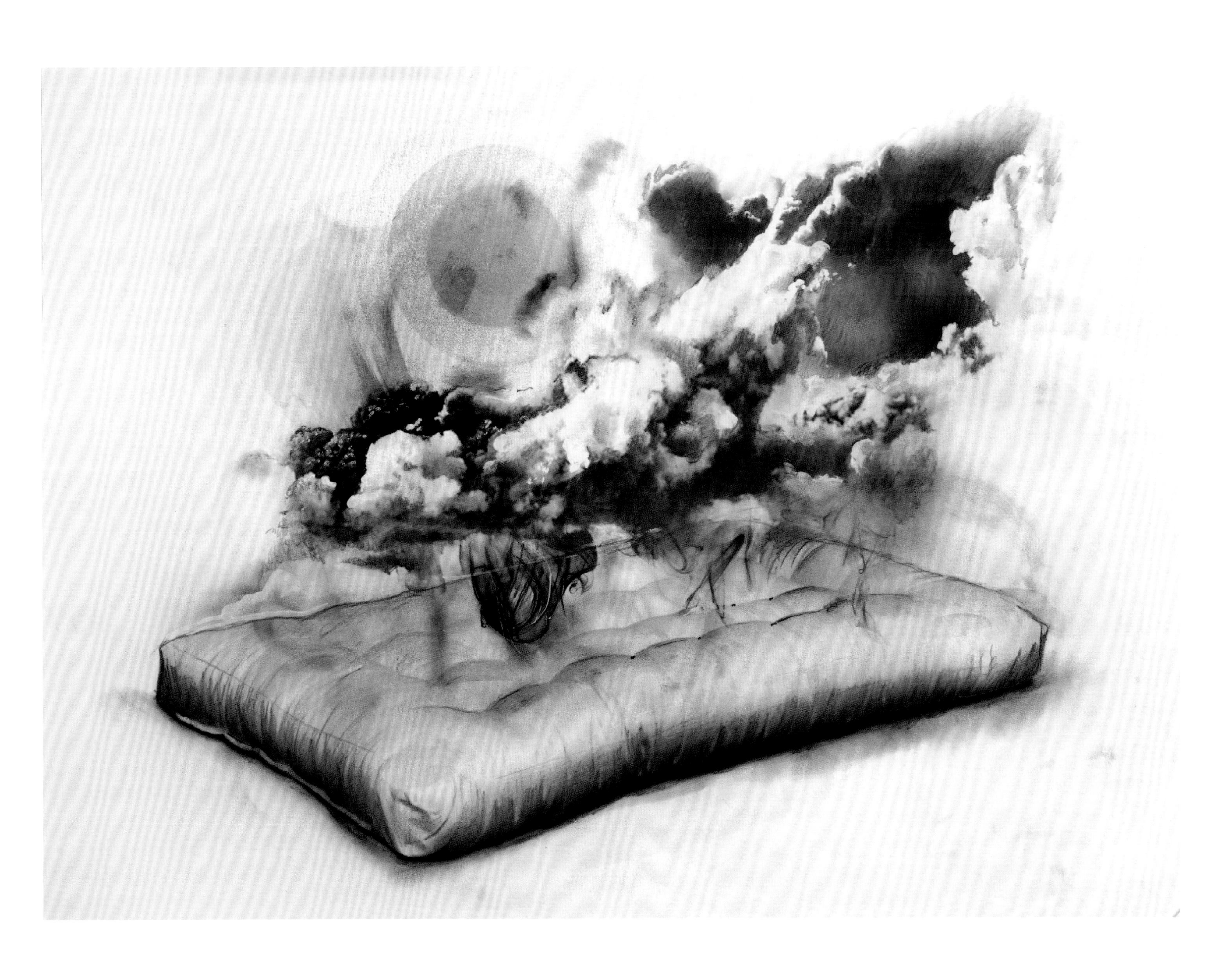

filetto di rombo alla brace con mela verde, finferli e riso soffiato

INGREDIENTI PER 4 PERSONE

Per il rombo:
1 rombo grosso da 2,5 kg
erbe e spezie (timo, rosmarino, alloro, maggiorana q.b.)

Per il gel di mela verde:
4 mele verdi
2 coste di sedano
1 limone
2 g agar agar

Per il riso soffiato:
120 g riso Carnaroli
250 ml olio di arachidi

Per la crema di funghi:
2 porcini
60 g finferli
2 funghi cardoncelli
1 scalogno
200 ml brodo di porcini vegetale
½ patata
120 ml panna
1 spicchio d'aglio
½ bicchiere vino bianco
olio extravergine d'oliva q.b.

PROCEDIMENTO

Per il gel di mela verde
Centrifugare il tutto e passare il composto al setaccio. Per ogni 100 g di composto, aggiungere un grammo di agar agar, porre il tutto in casseruola e portare a 90°C per 2 minuti. Quindi trasferire in una placca e far raffreddare. Quando sarà freddo e si sarà rappreso, frullare e conservare in una pompetta.

Per il riso soffiato
Cuocere il riso in acqua salata e scolarlo ben cotto. Far asciugare per un giorno a 60°C in forno o nell'apposito fornetto.

Per la crema ai funghi
Pulire per bene tutti i funghi (tenere solo 30 g di finferli a parte per la finitura) e saltarli in padella a fuoco vivo con uno spicchio d'aglio. Quindi in una casseruola far sudare lo scalogno, aggiungere i funghi salati, e la patata sfumando con del vino bianco. Continuare la cottura con del brodo e un goccio di panna. Far cuocere per mezz'ora e frullare aggiustando di sale e pepe. Quindi passare al setaccio e conservare in un *sac à poche*.

FINITURA DEL PIATTO E PRESENTAZIONE
Cuocere il rombo su un letto di erbe (timo, rosmarino e maggiorana) poggiandolo lentamente sui carboni. Quindi impiattare alternando la crema di funghi, il gel di mela verde i 30 g di finferli saltati. Ultimare il tutto con il riso soffiato in olio a 190°C.

grilled turbot fillet with green apple, chanterelle, and puffed rice

INGREDIENTS FOR 4 PEOPLE

For the turbot:
1 large turbot (2,5 kg ca.)
culinary herbs and spices to taste
(thyme, rosemary, laurel, marjoram)

For the green apple gel:
4 green apples
2 celery stalks
1 lemon zest
2 g agar agar

For the puffed rice:
120 g Carnaroli rice
250 ml peanut oil

For the mushroom cream:
2 porcini mushrooms
60 g chanterelle
2 wild cardoncelli mushrooms
200 ml porcini vegetable stock
½ potato
120 ml cream
1 garlic clove
½ glass white wine
extra-virgin olive oil to taste

METHOD

For the green apple gel
In a food processor, blend all the ingredients and strain. Add 1 g agar agar for each 100 g of mixture. Transfer into a saucepan, and bring temperature to 90°C for 2 minutes. Transfer on a slab and allow to cool down. Once cold and thickened, blend in a mixer and fill into a little pump.

For the puffed rice
Cook the rice in salted water and strain once it has cooked thoroughly. Allow to dry for a day at 60°C in a regular oven or a special drying oven.

For the mushroom cream
Clean thoroughly all mushrooms (leave aside only 30 g chanterelle for finishing) and sauté at high heat with a garlic clove. In a separate saucepan, sweat the shallot and add the salted mushroom with the potato. Add the white wine and reduce. Keep cooking by adding the vegetable stock and a little cream. Keep cooking for another half and hour and adjust salt and pepper. Strain and transfer into a *sac à poche*.

FINISHING AND PRESENTATION

Grill the turbot on a bed of herbs (thyme, rosemary, and marjoram), gently placing it on the charcoal. Then plate arranging alternately the mushroom cream, the green apple gel, and the 30 g chanterelle. Complete by adding the rice puffed in oil at 190°C.

Calcolo della traiettoria di una nuvola, 2018
disegno su carta 32x45cm

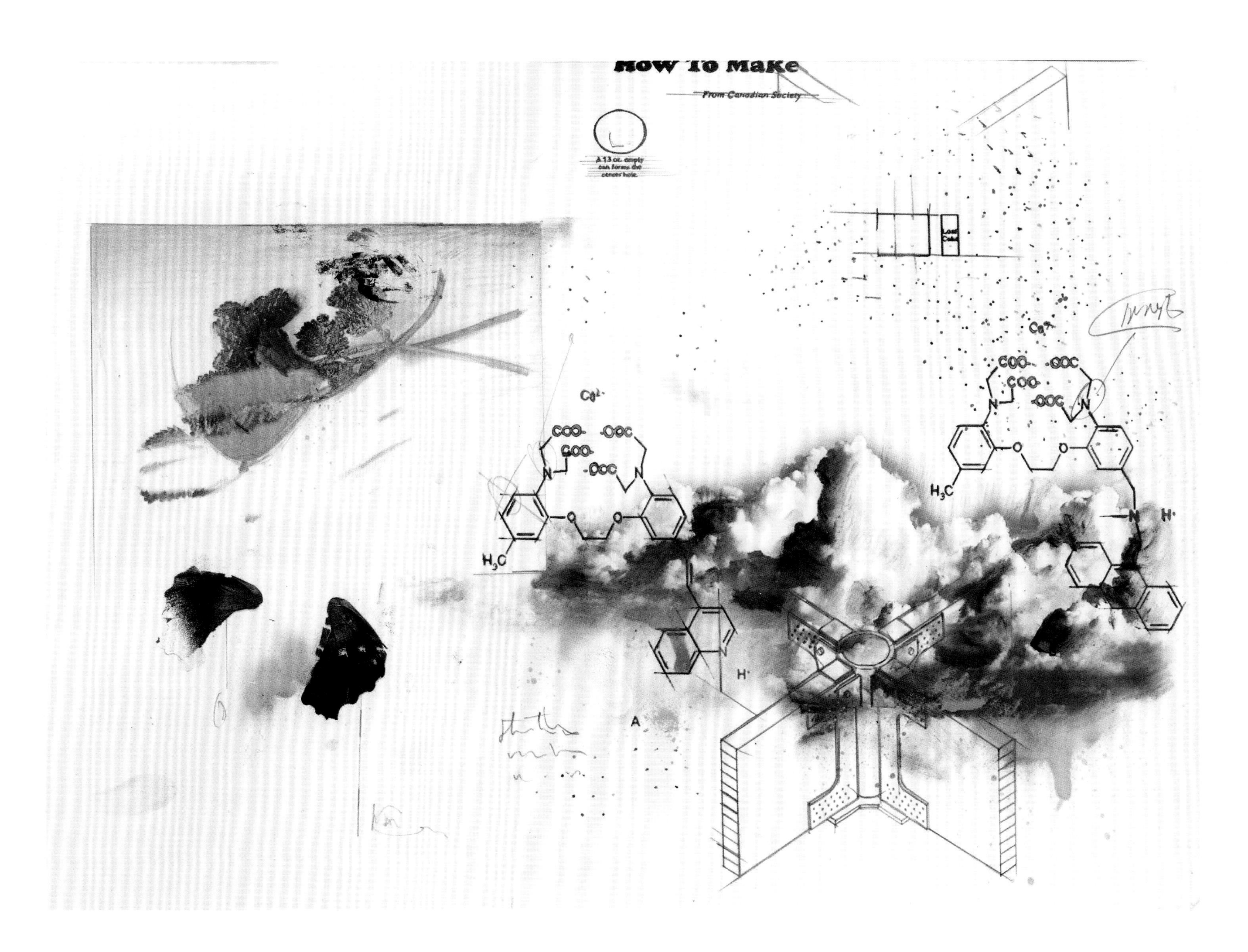
How To Make
From Canadian Society
H3C
N
H·
A

filetti di sogliola allo zafferano, ragù di lumachine di mare e salsa al prezzemolo

INGREDIENTI PER 4 PERSONE

Per la salsa allo zafferano:
1 cipollotto
1 scalogno
1 peperoncino
1 kg lische di pesce
200 g teste di gambero
200 g carcasse e teste granchio e astice
6 g zafferano
2 patate medie
120 ml panna
1 bicchiere di vino bianco
1 bicchiere acqua di frutti di mare
500 ml fumetto di pesce
olio extravergine d'oliva q.b.
sale e pepe q.b.

Per la sogliola:
2 sogliole da 400 g cadauna circa

Per i frutti di mare:
16 vongole
20 cozze
8 fasolari
4 tartufi di mare
1 mazzo di prezzemolo
4 spicchi d'aglio
20 ml vino bianco
20 ml olio extravergine d'oliva

Per la salsa al prezzemolo:
1 mazzetto di prezzemolo
12 g Parmigiano Reggiano
olio extravergine d'oliva q.b.
sale q.b.

PROCEDIMENTO

Per la salsa allo zafferano
Far rosolare in una casseruola le carcasse con le lische di pesce facendole tostare per bene. Toglierle dalla casseruola e nello stesso recipiente far sudare con dell'olio il cipollotto, lo scalogno e il peperoncino. Quindi, aggiungere le lische e le carcasse messe da parte e continuare la cottura sfumando con il vino bianco. Aggiungere poi la patata con lo zafferano, il fumetto e l'acqua di frutti di mare. Far cuocere a fuoco medio per 2 ore circa dopodiché filtrare e aggiustare di sale aggiungendo anche un goccio di panna fresca.

Per le sogliole
Pulire per bene la sogliola eliminando la pelle e ricavando 4 filetti per ogni sogliola. Conservare in frigo.

Per i frutti di mare
In una padella aprire i frutti di mare un tipo per volta, con uno spicchio d'aglio in camicia, olio e sfumando con vino bianco. Quindi conservare ogni tipo con la propria acqua.

Per la salsa al prezzemolo
Cuocere in acqua bollente il prezzemolo, quindi raffreddarlo in acqua e ghiaccio, scolare per bene e trasferirlo in un bicchiere da Pacojet. Aggiungere un filo d'olio a crudo, un pizzico di sale e del parmigiano. Pacossare il tutto per 3 volte e trasferire in una pompetta.

FINITURA DEL PIATTO E PRESENTAZIONE:
Cuocere i filetti di sogliola al vapore per 3/4 minuti, quindi disporli sul piatto. Salarli e napparli con la salsa allo zafferano. Ultimare il tutto con i frutti di mare e la salsa al prezzemolo.

Esplosione con giallo, 2018
disegno su carta 45x32cm

saffron sole fillets, seafood ragout, and parsley sauce

INGREDIENTS FOR 4 PEOPLE

For the saffron sauce:
1 shallot
1 scallion
1 hot pepper
1 kg fish bones
200 g shrimp heads
200 g lobster and crab shells and heads
6 g saffron
2 medium size potatoes
120 ml cream
1 glass of white wine
1 glass of seafood cooking juice
500 ml fish fumet
extra-virgin olive oil to taste
salt and pepper to taste

For the sole:
2 soles (400 g each)

For the seafood:
16 clams
20 mussels
8 cockles
4 Venus clams
1 bunch parsley
4 garlic cloves
20 ml white wine
20 ml extra-virgin olive oil

For the parsley sauce:
1 bunch parsley
12 g Parmigiano Reggiano
extra-virgin olive oil to taste
salt to taste

METHOD

For the saffron sauce

In a saucepan, toast thoroughly the lobster and crab shells and heads together with the fish bones. Remove and set aside. In the same saucepan, in oil sweat the shallot, the scallion, and the hot pepper. Then add the shells, heads, and fish bones you had set aside, and keep cooking by adding the white wine and reducing, and then adding the potato, the saffron, the fish fumet, and the seafood water. Cook on medium heat for about 2 hours. Strain and adjust salt, pouring also a bit of cream.

For the sole

Clean the soles carefully, removing the skin, and make four fillets out of each sole. Store in fridge.

For the seafood

In a pan, put the oil and the unpeeled garlic clove. Allow each type of seafood open, once at a time. Add white wine and reduce. Remove and leave aside each type of seafood with their cooking juice.

For the parsley sauce

Cook the parsley in boiling water, then allow to cool down in ice water. Strain and transfer in a Pacojet beaker together with a drizzle olive oil, a pinch of salt, and the Parmigiano Reggiano. Pacotize for three times and transfer into a little pump.

FINISHING AND PRESENTATION

Steam the sole fillets for 3/4 minutes, then plate. Add salt. Pour on the saffron sauce. Finish by adding the seafood and the parsley sauce.

ventresca di tonno, melanzana alla brace e maionese di acciughe

INGREDIENTI PER 4 PERSONE

1 trancio di ventresca da 500 g circa
1 melanzana tonda
1 melanzana lunga nera
40 g acciughe sott'olio
100 ml olio di semi (per la maionese)
olio di semi q.b. (per friggere)
1 tuorlo d'uovo
1 uovo intero
120 g pane in polvere al nero di seppia
100 g farina "00"
2 ml colatura di alici
16 fagiolini verdi
20 ml aceto bianco
1 ciuffo di basilico
polvere di capperi
10 g sale

PROCEDIMENTO

Praticare delle incisioni sulla melanzana tonda e cuocerla intera con tutta la buccia sui carboni finché diventa bruciacchiata. Spellarla e frullare con il basilico e la polvere di capperi. Con la melanzana lunga realizzare delle strisce e friggere in olio di semi. Quindi panarle prima con la farina poi con l'uovo battuto e il pane nero in polvere. Porzionare la ventresca di tonno realizzando delle strisce da 100 g circa cadauna. Dopodiché montare un tuorlo d'uovo e realizzare una maionese aggiungendo 100 ml di olio di semi a filo e la colatura di alici. Ultimare il tutto con un pizzico di sale se necessario, un goccio di aceto e le acciughe sott'olio tritate. Tagliare le estremità dei fagiolini e sbollentarli per 6/7 minuti.

FINITURA DEL PIATTO E PRESENTAZIONE

Scottare a fuoco vivo senza grasso la ventresca da tutti e quattro i lati, così da rimanere al centro cruda. Far riposare e nel frattempo friggere i rotoli di melanzana al nero. Quindi, procedere a impiattare tagliando a metà la ventresca e finire con gli spuntoni di maionese all'acciuga, i fagiolini e la melanzana.

tuna belly, grilled eggplant, and anchovy mayonnaise

INGREDIENTS FOR 4 PEOPLE

1 tuna belly cut (500 g)
1 round eggplant
1 long black eggplant
40 anchovy fillets in oil
100 ml seed oil (for the mayonnaise)
1 egg yolk
1 egg
120 g squid ink flavored bread
seed oil to taste (for frying)
100 g "00" flour
2 ml anchovy liquid
16 green beans
20 ml white vinegar
caper powder
1 bunch basil
10 g salt

METHOD

Cut a few slits in the round eggplant and grill it whole and unpeeled on the charcoal, until it is slightly burnt. Unpeel and, in a food processor, blend together the basil and the caper powder. Slice the long eggplant into stripes and fry in seed oil. Coat the stripes first with the flour and then bread with the beaten egg yolk and the squid ink bread. Cut the tuna belly into slices of 100 g each. Make a mayonnaise by beating an egg yolk and adding 100 ml seed oil and the anchovy liquid. Finish by adding adjusting salt, a drizzle vinegar, and the minced anchovy fillets. Clean the green beans by cutting off the edges and parboil for 6/7 minutes.

FINISHING AND PRESENTATION

Remove the fat from the tuna belly and sear its edges all around so that its core remains raw. Allow to rest and fry the ink bread long eggplant rolls. Finally, plate by cutting in half each tuna belly stripe, and garnish with the anchovy mayonnaise, the green beans, and the fried eggplant rolls.

Trinitato, 2018
disegno su carta 45x32cm

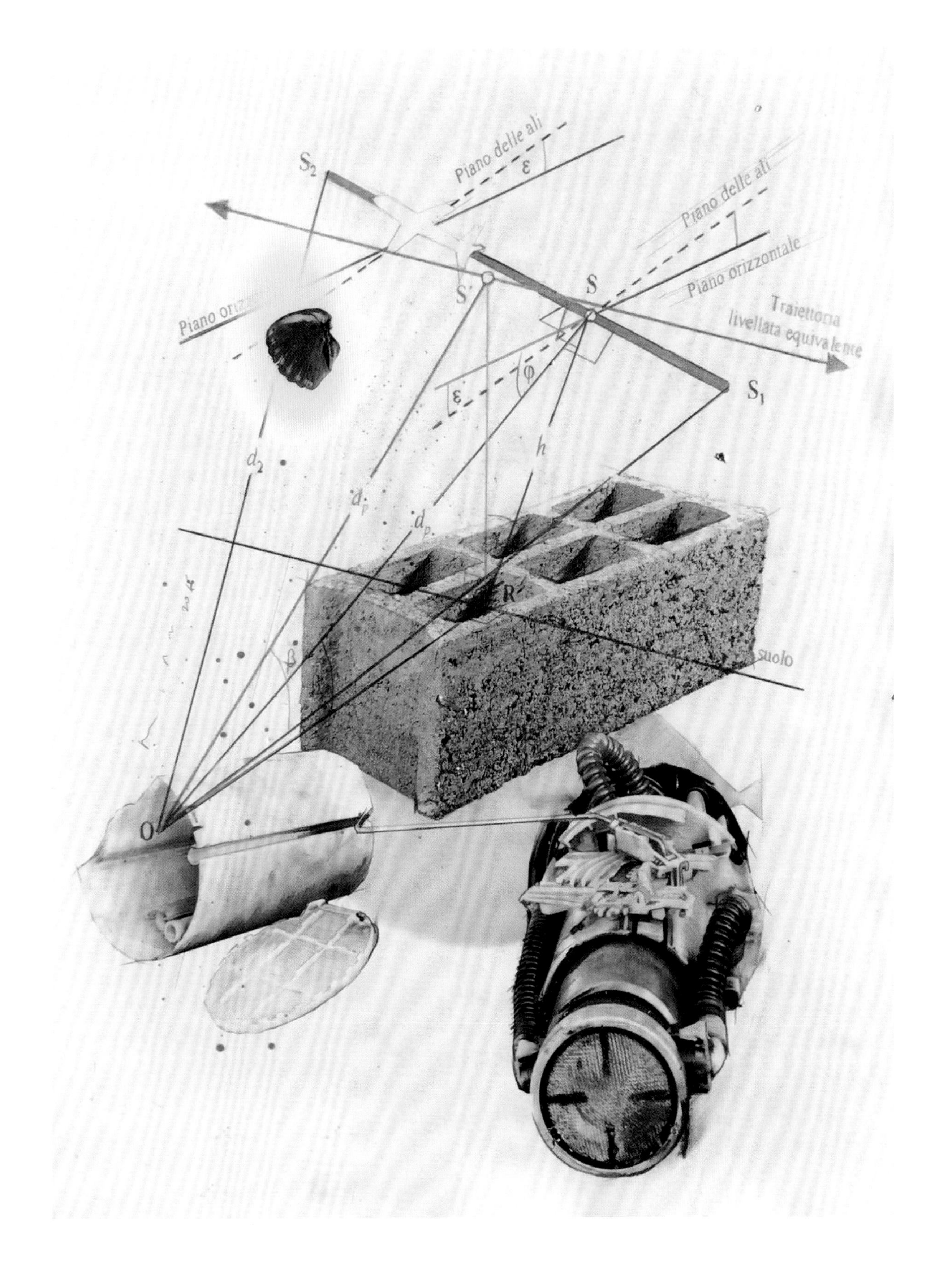
Piano delle ali
ε
S_2
Piano delle ali
Piano orizzontale
S'
S
Traiettoria
livellata equivalente
S_1
ε
φ
h
d_2
d_v
d_p
R'
suolo
β
O

polpo arrostito e laccato al barbecue con spuma di patate e misticanza di erbe e fiori

INGREDIENTI PER 4 PERSONE

Per il polpo:
1 kg di polpo misura grande decongelato
acqua di mare per la cottura q.b.

Per la salsa barbecue:
80 g cipollotti
400 g pomodori datterini
15 g di miele
5 ml aceto bianco
1 g polvere di fumo
2 bacche di ginepro
1 foglia di alloro, soia e salsa *ponzu* q.b.
pepe in grani q.b.

Per la spuma di patate:
200 g patate
180 ml panna
1 bianco d'uovo

Per la finitura del piatto:
misticanza di erbe e fiori

PROCEDIMENTO

Per il polpo
Cuocere il polpo in acqua di mare per circa 2 ore e lasciarlo riposare per circa 3 ore nella sua acqua di cottura. Pulirlo bene staccando dalla testa i singoli tentacoli. Dividere in due ogni tentacolo per il lungo e arrostire in padella.

Per la salsa barbecue
Mettere tutti gli ingredienti sopra elencati in un tegame e cuocere per circa un'ora a fuoco basso. Frullare il tutto fino ad ottenere una salsa coprente.

Per la spuma di patate
Lessare le patate e unire la panna e il bianco d'uovo. Frullare insieme e mettere il tutto in un sifone con 2 cariche di gas.

FINITURA DEL PIATTO E PRESENTAZIONE

Prendere il polpo arrostirlo in padella e glassarlo con la salsa barbecue, servire con la spuma di patate e la misticanza di erbe e fiori.

barbecue sauce roasted octopus, with potato mousse, and herb and flower mixed salad

INGREDIENTS FOR 4 PEOPLE

For the octopus:
1 kg large octopus, thawed
sea water for the cooking

For the barbecue sauce:
80 g shallots
400 g date tomatoes
15 g honey
5 ml white vinegar
1 g smoke powder
2 juniper berries
1 laurel leaf
soy and *ponzu* sauce to taste
peppercorn to taste

For the potato mousse:
200 g potatoes
180 ml cream
1 egg whites

For the finishing:
herb and flower mixed salad

METHOD

For the octopus
Allow the octopus to cook in sea water for about 2 hours. Let rest for about 3 hours in its cooking water. Clean thoroughly and cut off each tentacle from the head. Cut each tentacle in half along its length and roast on a pan.

For the barbecue sauce
In a saucepan, put all the ingredients and allow to cook gently for about an hour. In a food processor, blend until you obtain a sauce.

For the potato mousse
Boil the potatoes and add the cream and the egg whites. In a food processor, blend the mixture. Transfer into a siphon bottle and charge with two charges.

FINISHING AND PRESENTATION
On a pan, roast the octopus and glaze with the barbecue sauce. Serve with the potato mousse and the herb and flower mixed salad.

Onde a tutto gas, 2018
disegno su carta 32x45cm

...per Finire
...Desserts

fragole e panna, acqua di rose e gelato alla melissa

INGREDIENTI PER 4 PERSONE

Per la panna cotta:
200 ml panna
50 ml acqua di rose
30 g zucchero semolato
1 foglio colla di pesce (grammatura 2,5)

Per la gelatina di fragola:
200 g purea di fragola
1,5 g agar agar

Per il gelato alla melissa:
125 ml latte fresco parzialmente scremato
40 ml panna
2 g stabilizzante
25 g zucchero
10 g latte in polvere
7 g melissa sfogliata
8 g glucosio
5 g zucchero invertito

Per il *crumble* al cacao:
15 g burro
15 g zucchero di canna
15 g farina di mandorla
12 g farina "00"
3 g cacao in polvere

PROCEDIMENTO

Per la panna cotta
Scaldare la panna, l'acqua di rose e lo zucchero a 80°C e aggiungere la colla di pesce precedentemente ammorbidita in acqua fredda e poi strizzata. Stampinare, mettere nell'abbattitore a -18°C e sformare.

Per la gelatina di fragola
Portare a 83°C la purea e l'agar agar, lasciar bollire 3/4 minuti e stampinare. Abbattere a -18°C e sformare.

Per il gelato alla melissa
Portare a 83°C latte e panna. Togliere dal fuoco e aggiungere il resto degli ingredienti. Mettere in un contenitore da Pacojet e abbattere a -18°C.

Per il *crumble* al cacao
Impastare tutti gli ingredienti elencati come una frolla e lasciare riposare per 20 minuti in congelatore. Con l'aiuto di una grattugia, grattugiare il panetto su un foglio di carta da forno e infornare a 180°C per 5 minuti.

FINITURA DEL PIATTO E PRESENTAZIONE

Mettere al centro del piatto il disco di panna cotta, adagiare sopra il disco di gelatina di fragole, finire con fragola tagliata a lamelle, il *crumble* al cioccolato e il gelato alla melissa.

strawberries and cream, rose water, and lemon balm ice cream

INGREDIENTS FOR 4 PEOPLE

For the panna cotta:
200 ml cream
50 ml rose water
30 g granulated sugar
1 isinglass sheet (2.5 g)

For the strawberries gelatin:
200 g strawberry purée
1,5 g agar agar

For the lemon balm ice cream:
125 ml fresh semi-skimmed
40 ml cream
2 g stabilizer
25 g sugar
10 g milk powder
7 g lemon balm
8 g glucose
5 g inverted sugar

For the cocoa crumble:
15 g butter
15 g cane sugar
15 g almond flour
12 g “00” flour
3 g cocoa powder

METHOD

For the panna cotta
In a saucepan, put the cream, the rose water and the sugar and bring temperature to 80°C. Add the isinglass previously soaked in cold water and strained. Pour in molds, blast freeze to -18°C, and remove from molds.

For the strawberries gelatin
In a saucepan, put the strawberry purée and the agar agar and bring to 83°C. Allow to boil for 3/4 minutes. Pour in molds, blast freeze to -18°C, and remove from molds.

For the lemon balm ice cream
In a saucepan, put the milk and the cream and bring temperature to 80°C. Remove from heat and add all the other ingredients. Transfer into a Pacojet beaker and blast freeze to -18°C

For the cocoa crumble
Knead all the ingredients as to make a shortcrust pastry. Allow to rest in a refrigerator for 20 minutes. With the help of a little grater, shave the dough on a baking paper sheet and put in oven at 180°C for 5 minutes.

FINISHING AND PRESENTATION

Place the panna cotta disc in the middle of the plate. On top place a disc of strawberry gelatin, and finish adding the sliced strawberry, the cocoa crumble, and the lemon balm ice cream.

Strawberry's explosion, 2018
disegno su carta 45x32cm

ciliegie, yogurt e piselli al gelsomino

INGREDIENTI PER 4 PERSONE

Per il *crumble* al cacao:
15 g burro
15 g zucchero di canna
15 g farina di mandorla
12 g farina "00"
3 g cacao in polvere

Per la gelatina ai piselli e gelsomino:
500 g piselli
1 g agar agar
1 goccia di essenza di gelsomino

Per le ciliegie al vino:
12 ciliegie
300 ml vino rosso
300 ml vino Porto
100 g zucchero semolato
100 g miele
½ stecca di cannella
½ bacca di vaniglia
½ anice stellato
1 bacca di ginepro
2-3 chiodi di garofano

Per la confettura di ciliegie:
200 g ciliegie
100 g zucchero semolato
20 ml aceto di lamponi

Per il gelato allo yogurt:
250 ml latte fresco intero
50 ml panna
25 g glucosio
40 g zucchero semolato
4 g stabilizzante
250 g yogurt magro

Per la finitura del piatto:
200 g burro di cacao
15 g colorante rosso
fiori freschi di gelsomino e piselli disidratati

PROCEDIMENTO

Per il *crumble* al cacao
Impastare tutti gli ingredienti elencati come una frolla e lasciare riposare per 20 minuti in congelatore. Con l'aiuto di una grattugia, grattugiare il panetto su un foglio di carta da forno e infornare a 180°C per 5 minuti.

Per la gelatina ai piselli e gelsomino
Sbollentare i piselli. Raffreddarli in acqua e ghiaccio. Scolarli e frullarli per qualche istante con poca acqua. Portare successivamente a 83°C i 200 ml di succo di piselli ottenuto con l'agar agar e lasciar bollire per qualche minuto. Stendere su una teglia e far raffreddare in frigo. Frullare al Thermomix e aggiungere l'essenza di gelsomino senza riscaldare il composto.

Per le ciliegie al vino
Cuocere le ciliegie nel vino aromatizzato con tutti gli altri ingredienti. Non appena saranno cotte, toglierle e scolarle. Continuare la cottura del vino, ridurre, e quando avrà raggiunto la consistenza desiderata, togliere dal fuoco e aggiungere le ciliegie cotte.

Per la confettura di ciliegie
Mettere tutti gli ingredienti insieme in una pentola e stracuocere. Togliere dal fuoco e lasciar raffreddare.

Per il gelato allo yogurt
Portare a 83°C il latte e la panna, togliere dal fuoco e aggiungere il resto degli ingredienti tranne lo yogurt che verrà incorporato al composto alla fine a 40°C.

FINITURA DEL PIATTO E PRESENTAZIONE
Prendere uno stampo da ciliegia, versarci il gelato allo yogurt per metà e posizionare al centro la confettura di ciliegie che ricopriremo con il restante gelato allo yogurt. Livellare lo stampo e lasciare in abbattitore per 2 ore circa. Dopodiché prendere le ciliegie, sformarle e passare con burro di cacao colorato di rosso. Sistemare al centro del piatto la ciliegia, aggiungere il *crumble* al cacao, la gelatina di piselli e gelsomino e decorare con fiori freschi di gelsomino e piselli disidratati.

Proiezione di una ciliegia nello spazio, 2018
disegno su carta 32x45cm

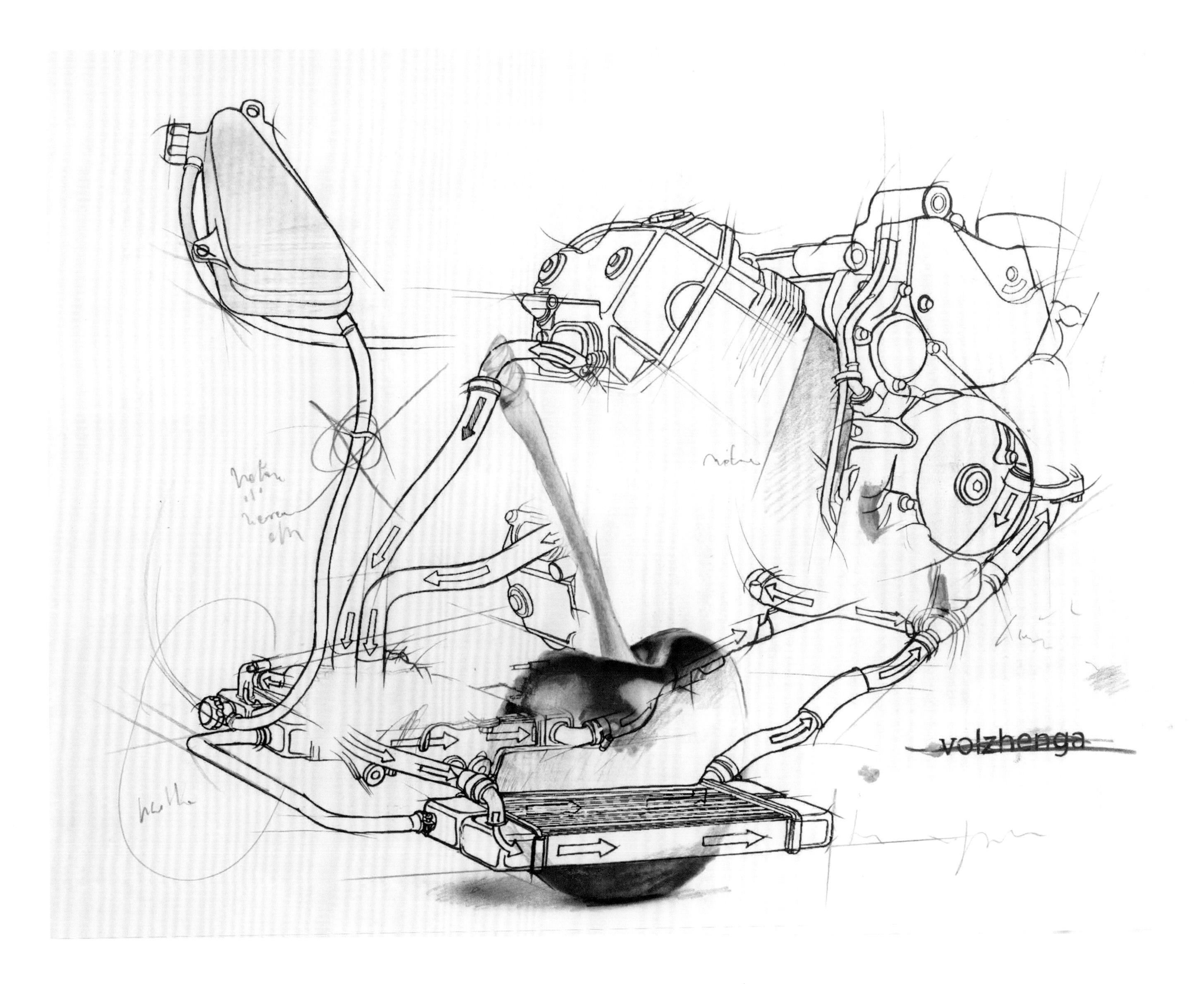
volzhenga

cherries, yogurt, and jasmine green peas

INGREDIENTS FOR 4 PEOPLE

For the cocoa crumble:
115 g butter
15 g cane sugar
15 g almond flour
12 g "00" flour
3 g cocoa powder

For the jasmine green peas gelatin:
500 g green peas
1 g agar agar
1 drop jasmine essence

For the wine cherries:
12 cherries
300 ml red wine
300 ml Port wine
100 g granulated sugar
100 g honey
½ cinnamon stick
½ vanilla bean
½ star anise
1 juniper bean
2-3 cloves

For the cherry jam:
200 g cherries
100 g granulated sugar
20 ml raspberry vinegar

For the yogurt ice cream:
250 ml fresh whole milk
50 ml cream
40 g granulated sugar
4 g stabilizer
250 g low fat yogurt

For the finishing:
200 g cocoa butter
15 g red edible dye
fresh jasmine flowers and dehydrated green peas

METHOD

For the cocoa crumble

Knead all the ingredients as to make a shortcrust pastry. Allow to rest in a refrigerator for 20 minutes. With the help of a little grater, shave the dough on a baking paper sheet and put in oven at 180°C for 5 minutes.

For the jasmine green peas gelatin

Parboil the green peas. Cool down in iced water. Drain and, in a food mixer, blend for a few seconds with water. In a saucepan, put the green peas mixture together with the agar agar, and bring temperature to 83°C. Boil for a few minutes. Remove from heat, place on a baking tray, and allow to cool down in the fridge. Take it out, put in a Thermomix, add the jasmine essence and blend all together, without heating up the mixture.

For the wine cherries

In a pot, pour the wine, place all the other ingredients and cook the cherries in this mixture. Once cooked, strain and remove the cherries. Leave the mixture on the heat, reduce the wine and, once it has reached the desired thickness, remove from heat and add the cherries.

For the cherry jam

Put all the ingredients in a pot and overcook. Remove from heat and allow to cool down.

For the yogurt ice cream

In a saucepan, put the milk and the cream and bring temperature to 83°C. Remove from heat and add all the other ingredients except the yogurt, which will be added only when the temperature of the mixture decreases to 40°C.

FINISHING AND PRESENTATION

Take a cherry-shaped mold, fill half of it with the yogurt ice cream. Then place e little scoop of cherry jam in the center and cover with the remaining yogurt ice cream. At the top of the mold, level off the ice cream. Blast freeze for about 2 hours. Take the cherries, give them an irregular shape, and coat in the cocoa butter and the red edible dye. On a plate, place the cherry-shaped ice cream in the middle, add the cocoa crumble, the jasmine green peas gelatin and garnish with fresh flowers of jasmine and dehydrated green peas.

semifreddo all'ananas e lime con granita di lamponi e champagne

INGREDIENTI PER 4 PERSONE

Per il semifreddo all'ananas:
120 g ananas a cubetti
30 g zucchero semolato (per caramellare)
8 ml acqua (per caramellare)
1 buccia di lime
40 g albume d'uovo
80 g zucchero semolato (per la meringa)
20 ml acqua (per la meringa)
200 ml panna montata

Per la granita di lamponi e champagne:
200 ml acqua
180 g zucchero
160 ml champagne
100 g lamponi freschi

Per la polvere di lime:
10 lime

Per la finitura del piatto:
2 meringhe piccole

PROCEDIMENTO

Per il semifreddo all'ananas
Caramellare l'ananas nello zucchero e acqua e stendere sul silpat. Lasciar raffreddare. Fare una brunoise finissima con la buccia di lime e sbollentarla per 3 volte in acqua. A parte, preparare il semifreddo, quindi fare successivamente una meringa italiana con zucchero, acqua e albume. Completare con la panna montata e all'interno la brunoise di lime e ananas caramellata. Stampinare, abbattere e sfornare.

Per la granita di lamponi e champagne
Fare uno sciroppo con acqua e zucchero, portarlo a 110°C e aggiungere lo champagne e i lamponi freschi. Versare il tutto in un contenitore da Pacojet. Congelare per 3 ore e successivamente pacossare.

Per la polvere di lime
Lavare accuratamente i lime e pelarli, mettere le bucce a essiccare a 40°C in essiccatore. Una volta secche, tritare al Thermomix e setacciarle 2 volte.

FINITURA DEL PIATTO E PRESENTAZIONE
In un piatto congelato, disporre a goccia la granita di lamponi e champagne, adagiare sopra i 3 cubi di semifreddo all'ananas, precedentemente passati nella polvere di lime disidratata. Decorare con una fetta d'ananas (precedentemente disidratata a 45°C per 3 giorni) e qualche meringa.

lime and pineapple parfait served with raspberry and champagne *granita*

INGREDIENTS FOR 4 PEOPLE

For the pineapple parfait:
120 g diced pineapple
30 g granulated sugar (for caramelizing)
8 ml water
1 lime zest
40 g egg whites
80 g granulated sugar (for the meringue)
20 ml water
200 ml whipped cream

For the raspberry and champagne *granita*:
200 ml water
180 g sugar
160 ml champagne
100 g fresh raspberry

For the lime powder:
10 limes

For the finishing:
2 small meringues

METHOD

For the pineapple parfait
In a saucepan, caramelize the pineapple with the sugar and the water. Transfer to a perforated silicone sheet. Allow to cool down. Cut into very fine brunoise with the lime zest and parboil in water three times. Separately, preparare the parfait making an Italian meringue with the sugar, the water, and the egg whites. When the mixture is smooth, add the whipped cream and the lime cut into brunoise and the caramelized pineapple. Transfer into a mold, blast freeze, and remove from mold.

For the raspberry and champagne *granita*
In a saucepan, make a syrup by putting water and sugar and bringing temperature to 110°C. At this point add the champagne and the fresh raspberries. Transfer into a Pacojet beaker. Keep frozen for 3 hours and then pacotize.

For the lime powder
Wash the limes thoroughly. Peel and desiccate in a drying oven at 40°C. Once dried, transfer into a Thermomix, and grind. Sieve twice.

FINISHING AND PRESENTATION

On a frozen plate, place a water-drop-shaped bed of raspberry and champagne granita. On top of it place the three cubes of pineapple parfait that you have previously rubbed in the lime powder. Garnish with a pineapple slice (perfectly desiccated at 45°C for three days) and a few meringues.

Pensare al verde, 2018
disegno su carta 32x45cm

argomento ontologico per eccellenza e si relaziona con quello dell'Essere ma in subordine, come suo modo contingente di manifestarsi e di fluire. Esso attiene perciò anche alla dimensione del divenire.

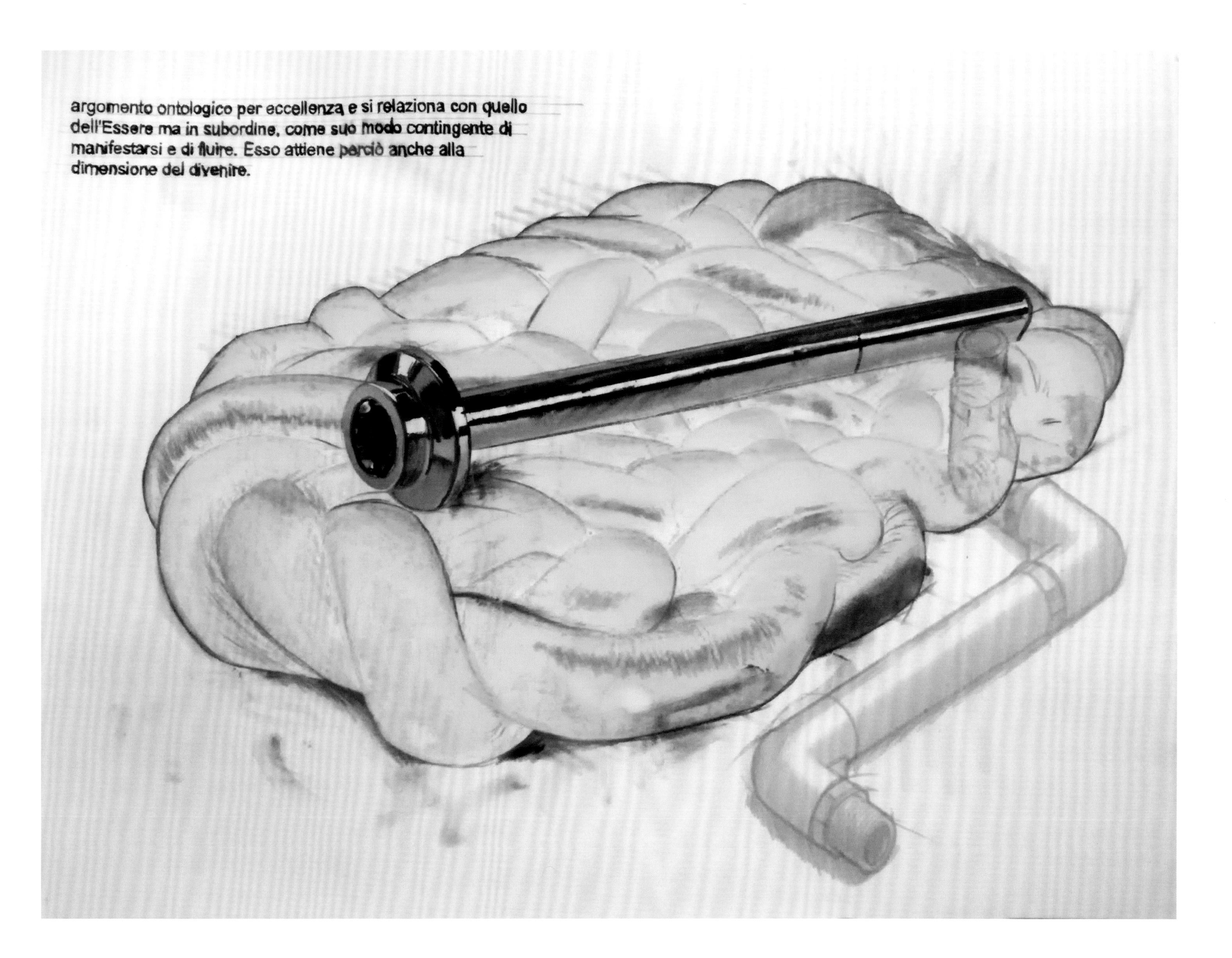

pesca cotta in olio extravergine e vaniglia, cremoso al tè nero, cialde al sesamo e gelato al latte di pecora

INGREDIENTI PER 4 PERSONE

Per il *crumble* alla mandorla:
15 g burro
15 g zucchero di canna
15 g farina "00"
15 g farina di mandorla

Per il gelato al latte di pecora:
400 ml latte di pecora
200 ml panna
100 ml sciroppo di glucosio 43 BE
150 g zucchero semolato
3 g stabilizzante

Per il cremoso al tè nero al bergamotto:
250 g crema inglese
2 g colla di pesce
140 g cioccolato bianco
45 g tè nero al bergamotto

Per la cialda al sesamo:
40 g glucosio
40 g zucchero di canna
40 g burro
20 g farina di mandorla
10 g sesamo bianco
10 g sesamo nero

Per la pesca all'olio:
2 pesche
200 ml acqua
100 g zucchero semolato
½ bacca di vaniglia
2 semi di cardamomo
2 chiodi di garofano
1 anice stellato
2 rametti di timo limonato
100 ml olio extravergine d'oliva

PROCEDIMENTO

Per il *crumble* alla mandorla

Lavorare tutti gli ingredienti insieme in planetaria, formare un panetto e abbattere. Dopodiché, grattugiare su carta da forno il panetto e cuocere per 7 minuti circa a 165°C.

Per il gelato al latte di pecora

Portare a 85°C tutti gli ingredienti miscelati insieme. Versare la miscela nei tombolini da Pacojet e pacossare 2 volte almeno prima di utilizzarlo.

Per il cremoso al tè di bergamotto

Riscaldare la crema inglese a 50°C in un tegame e mettere in infusione per 20/30 minuti il tè al bergamotto. Idratare la colla di pesce in acqua fredda. Filtrare la crema inglese e inserire nel composto caldo la colla di pesce strizzata. Unire il cioccolato bianco alla crema inglese in tre volte (poco per volta) e portare il composto a 35°C. Lasciar riposare in frigo per 36 ore.

Per la cialda al sesamo

Sciogliere in un pentolino il glucosio, lo zucchero di canna e il burro. Completare con la farina di mandorla e il sesamo e lasciare riposare in frigo per un'ora. Ricavare delle palline e sistemare su un silpat. Cuocere a 165°C per 10/12 minuti.

Per la pesca all'olio

Privare della pelle e del nocciolo le pesche tagliandole in 2. Mettere tutti gli ingredienti in una busta sottovuoto e cuocere a vapore a 80°C per 25/30 minuti. Raffreddare in acqua e ghiaccio.

FINITURA DEL PIATTO E PRESENTAZIONE

Disporre la pesca all'olio sul piatto, le *quenelle* di gelato al latte di pecora sopra del *crumble* alla mandorla e fare degli spuntoni di cremoso al tè di bergamotto. Posizionare sopra al cremoso la cialda al sesamo.

Lighting in the space, 2018
disegno su carta 32x45cm

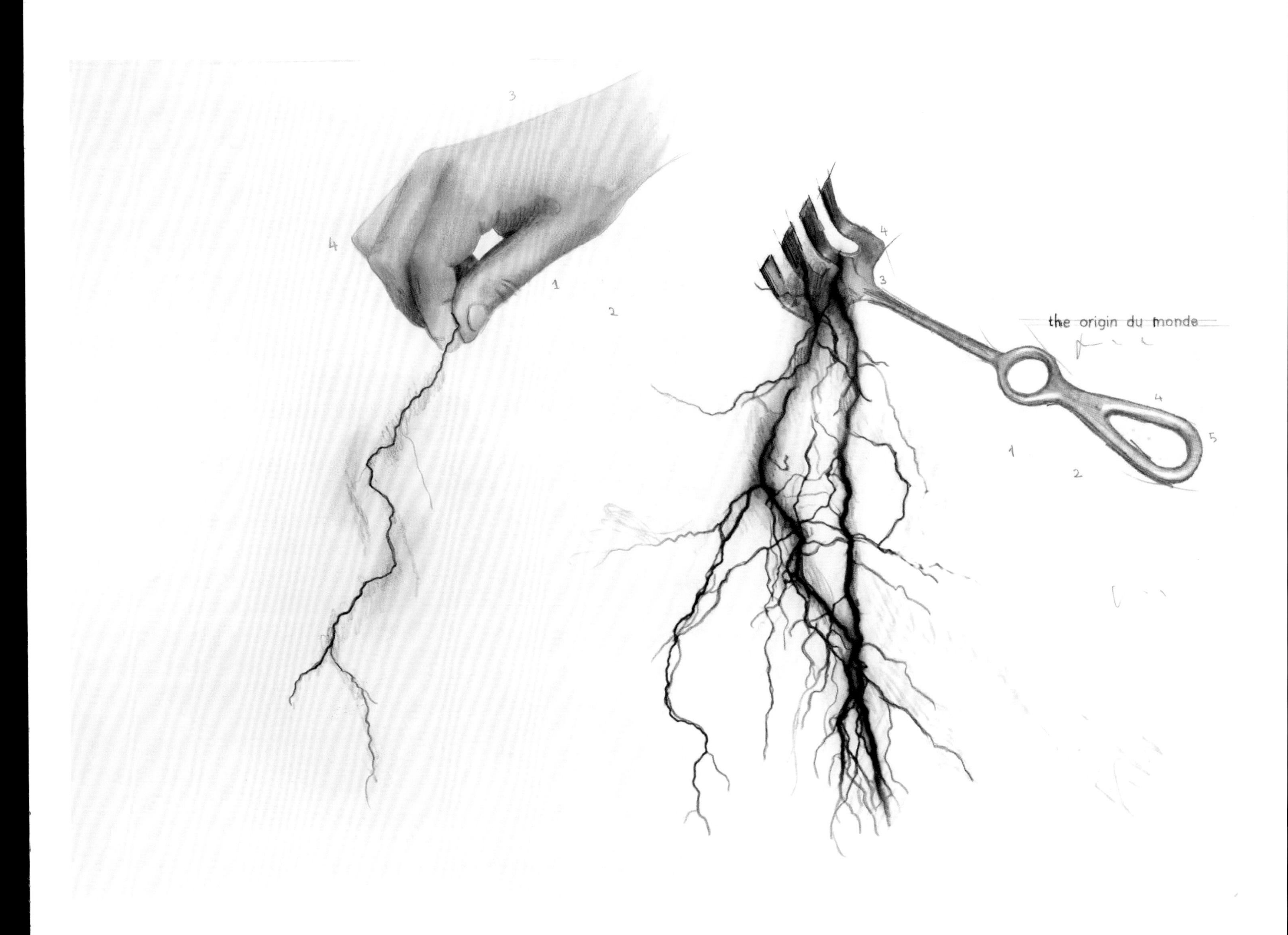
3
4
1
2
4
3
the origin du monde
4
5
1
2

peach cooked in extra-virgin olive oil and vanilla, black tea *cremoso*, sesame wafer, and sheep milk ice cream

INGREDIENTS FOR 4 PEOPLE

For the almond crumble:
15 g butter
15 g cane sugar
15 g "00" flour
15 g almond flour

For the sheep milk ice cream:
400 ml sheep milk
200 ml cream
100 ml glucose syrup 43 BE
150 g granulated sugar
3 g stabilizer

For the bergamot black tea cremoso:
250 g crème anglaise
2 g isinglass
140 g white chocolate
45 g bergamot black tea

For the sesame wafer:
40 g glucose
40 g sugar cane
40 g butter
20 g almond flour
10 g white sesame
10 g black sesame

For the extra-virgin olive oil peach:
2 peaches
200 ml water
100 g granulated sugar
½ vanilla bean
2 cardamom seeds
2 cloves
1 star anise
2 lemon thyme sprigs
100 ml extra-virgin olive oil

METHOD

For the almond crumble
In a planetary mixer, blend together all the ingredients. Knead into a block and blast freeze. With the help of a little grater, shave the dough on a baking paper sheet and put in oven at 165°C for 7 minutes.

For the sheep milk ice cream
In a pot, put all the ingredients together and bring temperature to 85°C. Pour into Pacojet beakers and pacotize at least twice before use.

For the bergamot black tea *cremoso*
In a saucepan, heat up the crème anglaise bringing temperature to 50°C. Infuse the bergamot black tea for about 20/30 minutes. Soak the isinglass in cold water. Strain the crème anglaise and, while still hot, pour in the isinglass that you have previously strained. Gradually add the white chocolate to the crème anglais and bring temperature to 35°C. Remove from heat and allow to rest in fridge for 36 hours.

For the sesame wafer
In a saucepan, melt the glucose together with the cane sugar and the butter. Add the almond flour and the sesame and allow to rest in fridge for an hour. Scoop a few balls and place on a perforated silicone sheet. Bake at 165°C for 10/12 minutes.

For the extra-virgin olive oil peach
Peel and remove the peach pit. Cut in half. In a vacuum sealed envelope, put all the ingredients and steam at 80°C for 25/30 minutes. Cool down in water and ice.

FINISHING AND PRESENTATION
On a plate, place the peach. On the almond crumble place the sheep milk ice cream *quenelle* and make some thin cones out of the bergamot black tea *cremoso*. Place the sesame wafer on the cremoso.

castagne con gelato al torroncino, al caramello e liquirizia

INGREDIENTI PER 4 PERSONE

Per l'interno alla liquirizia:
30 g glucosio
60 ml panna Debic fresca 35%
60 g cioccolato Valrhona Ivoire 35%
10 ml sciroppo di liquirizia

Per la mousse alla castagna:
250 ml panna
200 g cioccolato bianco
70 ml sciroppo di glucosio 30 DE
2 tuorli d'uovo
6 g colla di pesce
150 g purea di castagna (ottenuta frullando le castagne cotte con un po' di panna)
1 bomboletta di cacao spray bianco

Per il gelato al torroncino:
50 g zucchero semolato (per il pralinato)
20 ml acqua
40 g mandorle con pelle
300 ml latte fresco parzialmente scremato
80 ml panna
40 g zucchero semolato (da lavorare con glucosio e tuorli)
18 g glucosio
2 tuorli d'uovo
2 g stabilizzante

PROCEDIMENTO

Per l'interno alla liquirizia
Sciogliere il glucosio nella panna a 50°C. Unire la panna al cioccolato bianco in 3 mandate (poco per volta), entrambi a 35/45°C di lavorazione. Aggiungere lo sciroppo di liquirizia e stampinare.

Per la mousse alla castagna
Montare i tuorli e versare lo sciroppo a 90°C a filo sino a intiepidire il composto. Aggiungere la colla di pesce e il cioccolato bianco sciolto, infine la purea di castagna continuando a montare sino a 40°C. Lasciar raffreddare e completare con la panna montata. Stampinare per metà, inserire l'interno di liquirizia e chiudere con altrettanta mousse. Abbattere, sformare e spruzzare con l'aiuto di una bomboletta di cacao spray bianco.

Per il gelato al torroncino
In un tegame a fuoco basso, preparare un pralinato con zucchero e acqua e aggiungere le mandorle. Stendere su un silpat e far raffeddare. Ffrullare al Thermomix. Lavorare i tuorli con zucchero e glucosio. Portare a 83°C latte, panna e stabilizzante e aggiungere, stemperando, i tuorli zuccherati. Riportare a 85°C aggiungendo la polvere di pralinato color nocciola. Abbattere a -20°C.

FINITURA DEL PIATTO E PRESENTAZIONE
Posizionare la mousse di castagna al centro del piatto e aggiungere sopra una *quenelle* di gelato al torroncino. Decorare con dei fiori.

chestnuts with nougat and caramel ice cream and licorice

INGREDIENTS FOR 4 PEOPLE

For the licorice filling:
30 g glucose
60 ml fresh Debic cream 35%
60 g Valrhona Ivoire 35% chocolate
10 ml licorice syrup

For the chestnut mousse:
250 ml cream
200 white chocolate
70 ml glucose syrup 30 DE
2 egg yolks
6 g isinglass
150 g chestnut purée, obtained by mixing the boiled chestnut with a bit of creme
1 white cocoa spray bottle

For the nougat ice cream:
50 g granulated sugar (for the powdered almond syrup)
20m ml water
40 g unpeeled almond
300 ml fresh semi-skimmed milk
80 ml cream
40 g granulated sugar (to be beaten with the glucose and the egg yolks)
18 g glucose
2 egg yolks
2 g stabilizer

METHOD

For the licorice filling
In a saucepan, melt the glucose with the cream brining temperature to 50°C. Little by little add the white chocolate when temperature is still between 35°C and 45°C. Add the licorice syrup and pour the mixture into molds.

For the chestnut mousse
Beat the egg yolks and drizzle in the syrup at 90°C, until the mixture has warmed up. Add the isinglass and the melted white chocolate. Finally, pour in the chestnut purée and keep beating until temperature decreases to 40°C. Allow to cool down completely and add the whipped cream. Fill half of the mold with the mousse, then add the licorice filling, and cover with the other half of the mousse. Blast freeze, remove mold, and spray the white cocoa all over.

For the nougat ice cream
In a saucepan, make a powdered almond syrup by putting the sugar, the water, and add the almonds. Transfer into a perforated silicone sheet. After the mixture has cooled down, transfer into a Thermomix and blend. Beat the egg yolks with the sugar and the glucose. In a saucepan, put the milk, the cream, the stabilizer and bring temperature to 83°C. At this point add the egg yolks with the sugar. Raise temperature to 85°C and pour in the almond syrup. Remove from heat and blast freeze at -20°C.

FINISHING AND PRESENTATION

At the center of a plate, place the chestnut mousse and on top add the *quenelle* of nougat ice cream. Garnish with flowers.

I migliori anni di un viandante, 2018
disegno su carta 32x45cm

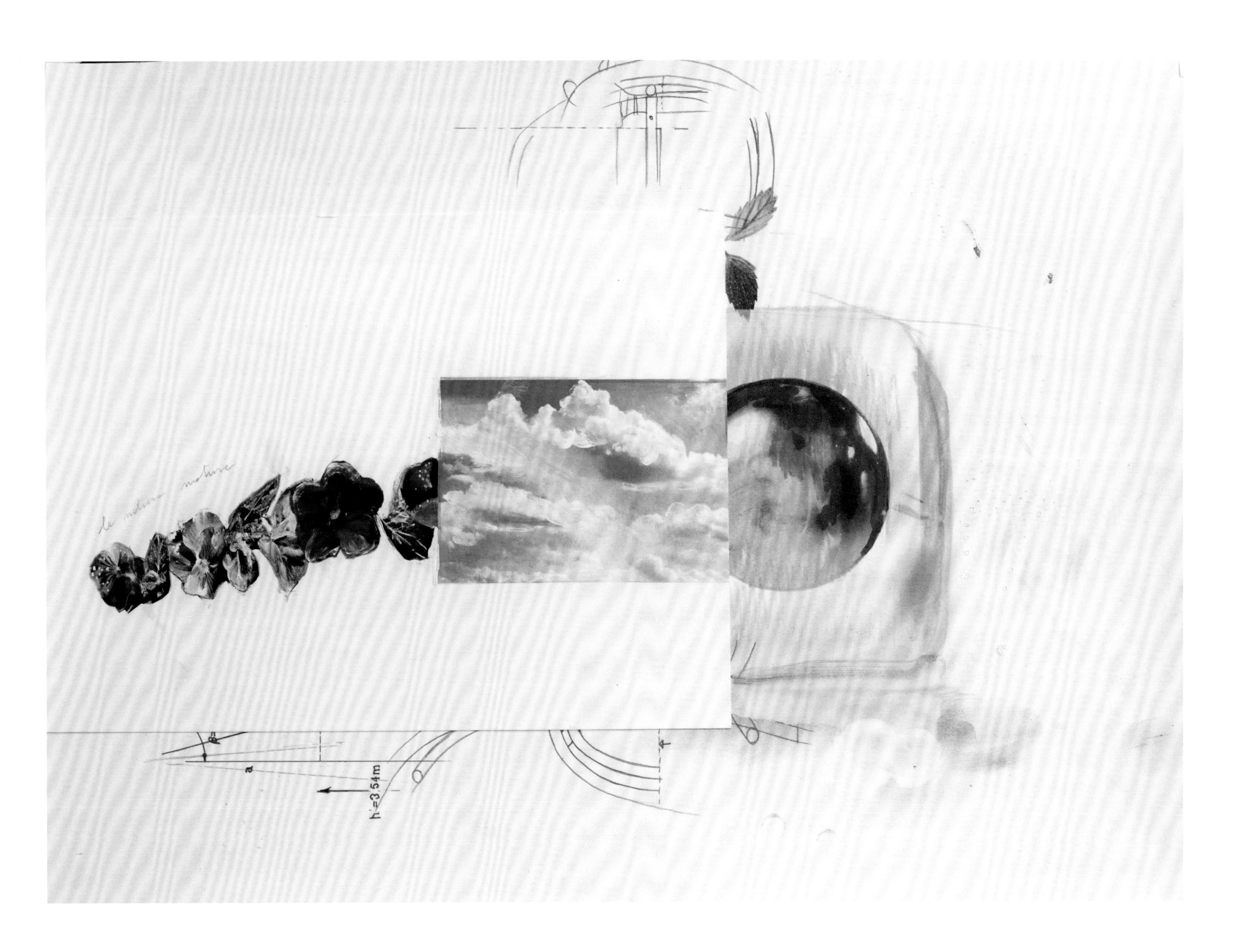

crostatina al cioccolato con cremoso al Camembert fichi e gelato al panpepato

INGREDIENTI PER 4 PERSONE

Per i fichi al whisky:
300 g zucchero semolato
150 ml acqua
40 ml whisky

Per il cremoso al Camembert:
200 g formaggio Camembert
60 g cremoso al cioccolato bianco
10 g zucchero a velo

Per la crostatina al cacao:
180 g farina “00”
120 g burro
80 g zucchero a velo
20 g cacao amaro
5 tuorli d’uovo

Per la riduzione di salsa al vino:
300 ml vino rosso
300 ml vino Porto
100 g zucchero semolato
100 g miele
½ stecca di cannella
½ bacca di vaniglia
1 bacca di ginepro
2-3 chiodi di garofano

Per il gelato al panpepato:
100 ml latte fresco parzialmente scremato
80 g panna fresca 35%
60 g zucchero semolato
16 g glucosio
2 tuorli d’uovo
2 g stabilizzante
1 anice stellato
1 chiodo di garofano
cannella, vaniglia in polvere e pepe q.b.

PROCEDIMENTO

Per i fichi al whisky

Fare un caramello a secco con zucchero, togliere dal fuoco e aggiungere poco per volta, girando con una frusta, l'acqua calda e il whisky. Mettere in infusione i fichi privati della buccia e tagliati in 4 spicchi ognuno.

Per il cremoso al Camembert

Aggiungere tutti gli ingredienti al Thermomix e frullare fino a raggiungere una cremosità omogenea e priva di grumi.

Per la crostatina al cacao

Sabbiare il burro (a temperatura frigo) con la farina. Aggiungere zucchero a velo, cacao e tuorlo d'uovo. Foderare gli stampi e cuocere in forno a 170°C per 10/15 minuti.

Per la riduzione al vino

Cuocere il vino aromatizzato con tutti gli altri ingredienti. Lasciarlo fino a quando avrà raggiunto la consistenza desiderata. Togliere dal fuoco.

Per il gelato al panpepato

Lavorare i tuorli con zucchero e glucosio. Portare a 83°C latte, panna e stabilizzante con tutti gli aromi. Stemperare i tuorli con lo zucchero e riportare a 85°C. Abbattere a -20°C.

FINITURA DEL PIATTO E PRESENTAZIONE

Posizionare la crostatina al cacao sul piatto dopo averla tagliata a metà. Riempirla con del cremoso al formaggio e i fichi al whisky. Aggiungere vicino una *quenelle* di gelato al panpepato e decorare con la riduzione di vino

Fulmini a colazione, 2018
disegno su carta 32x45cm

chocolate tart with Camembert *cremoso*, figs and *panpepato* ice cream

INGREDIENTS FOR 4 PEOPLE

For the whisky figs:
300 g granulated sugar
150 ml water
40 ml whisky

For the Camembert cheese *cremoso*:
300 g Camembert cheese
60 g white chocolate cremoso
10 g icing sugar

For the chocolate tart:
180 g “00” flour
120 g butter
80 g icing sugar
20 g unsweetened cocoa powder
5 egg yolks

For the wine reduced sauce:
300 ml red wine
300 ml Port wine
100 g granulated sugar
100 g honey
½ cinnamon stick
½ vanilla bean
1 juniper bean
2-3 cloves

For the panpepato ice cream:
100 ml fresh semi-skimmed milk
80 g fresh cream 35%
60 g granulated sugar
16 g glucose
2 egg yolks
2 g stabilizer
1 star anise
1 clove
cinnamon, powdered vanilla,
and pepper to taste

METHOD

For the whisky figs
Make a dry caramel by heating sugar in a pan. Remove from heat and, with the help of a whisk, gradually add the hot water and the whisky. Remove the skin from the figs, cut into four equal parts, and infuse in the mixture.

For the Camembert cheese *cremoso*
Put all the ingredients in a Thermomix and blend until you obtain a homogeneous and smooth mixture.

For the chocolate tart
In a food mixer, mix the butter (fridge temperature) with the flour, until you obtain a "sandy" texture. Add the icing sugar, the cocoa, and the egg yolks. Pour in molds, bake in oven at 170°C for 10/15 minutes.

For the wine reduced sauce
In a pot, allow the wine to cook together with all the other ingredients, until you ibtain the desired thickness. Remove from heat.

For the *panpepato* ice cream
Beat the egg yolks with the sugar and the glucose. In a saucepan, put the milk, the cream, the stabilizer, and all the spices, and bring temperature to 83°C. At this point add the egg yolks with the sugar. Raise temperature to 85°C. Remove from heat and blast freeze at -20°C.

FINISHING AND PRESENTATION
Cut the tart in half and place on the plate. Fill the tart with the cheese *cremoso* and the whisky figs. Place an ice cream *quenelle* next to the *panpepato* and garnish with the wine reduced sauce.

indice delle Ricette
Recipes

Il Sous-Chef Nino Ferreri
Sous-Chef Nino Ferreri

40 i nostri finger

46 il nostro pane

52 seppia e piselli in un *donut*

58 sgombro marinato all'aglio, olio e peperoncino con gazpacho di cetriolo

64 cozze e Burrata in "cialletta molfettese"

70 asparagi al vapore, salsa carbonara e aglio nero

76 ditalini di pasta di grano duro alla parmigiana

80 risotto mantecato al peperone rosso, burro di arachidi e alici affumicate

84 ziti ripieni di broccoli e frutti di mare

88 spaghettone di grano duro al pomodoro al forno, ricotta salata e salsa al basilico

92 doppio raviolo in farcia di guancia di bue e Provolone con ciliegie al vino rosso

98 tortelli al basilico con ricotta e 'nduja, scampi e acqua di pomodoro

104 vitello tonnocciolato

108 crudo di Luganega, crema di scarola e pralina di formaggio liquido

114 agnello nostrano di Puglia in tre passaggi

120 filetto di cervo e sfumature di rosso

126 capesante crispy bacon con misticanza di erbe, citronette di pesca e salsa *ponzu*

130 garusoli, spuma di patata al prezzemolo, alghe e tarallo pugliese

134 astice alla catalana "a modo mio"

138 le pietre di mare

142 filetto di rombo alla brace con mela verde, finferli e riso soffiato

146 filetti di sogliola allo zafferano, ragù di lumachine di mare e salsa al prezzemolo

152 ventresca di tonno, melanzana alla brace e maionese di acciughe

156 polpo arrostito e laccato al barbecue con spuma di patate e misticanza di erbe e fiori

162 fragole e panna, acqua di rose e gelato alla melissa

166 ciliegie, yogurt e piselli al gelsomino

172 semifreddo all'ananas e lime con granita di lamponi e champagne

176 pesca cotta in olio extravergine e vaniglia, cremoso al tè nero, cialde al sesamo e gelato al latte di pecora

182 castagne con gelato al torroncino, al caramello e liquirizia

186 crostatina al cioccolato con cremoso al Camembert, fichi e gelato al panpepato

44 our finger food

50 our bread

56 squid and green peas in a donut

62 mackerel marinated in garlic, oil, and hot pepper, served with cucumber gazpacho

68 mussels and *Burrata* in "cialletta molfettese"

72 steamed asparagus, carbonara sauce, and black garlic

78 parmigiana durum wheat *ditalini*

82 red pepper creamy risotto, peanut butter, and smoked anchovies

86 broccoli and seafood stuffed *ziti*

90 durum wheat oven baked tomato *spaghettone*, with salted ricotta and basil sauce

96 beef cheek and *Provolone* stuffed double *ravioli*, with red wine cherrie

100 basil *tortelli* with ricotta and *'nduja*, scampi and tomato water

106 *tonnocciolato* veal

112 *Luganega* tartare, escarole cream, and creamy cheese praline

118 local pugliese lamb in three steps

124 venison fillet and red nuances

128 crispy bacon scallops in herb mixed salad, peach citronette dressing, and *ponzu* sauce

132 *garusoli*, parsley potato mousse, seaweed, and *tarallo pugliese*

136 catalan lobster "my way"

140 water stones

144 grilled turbot with green apple, chanterelle, and puffed rice

150 saffron sole fillets, seafood ragout, and parsley sauce

154 tuna belly, grilled eggplant, and anchovy mayonnaise

158 barbecue sauce roasted octopus, with potato mousse, and herb and flower mixed salad

164 strawberries and cream, rose water, and lemon balm ice cream

170 cherries, yogurt, and jasmine green peas

174 lime and pineapple parfait served with raspberry and champagne *granita*

180 peach cooked in extra-virgin olive oil and vanilla, black tea *cremoso*, sesame wafer, and sheep milk ice cream

184 chestnuts with nougat and caramel ice cream and licorice

190 chocolate tart with Camembert *cremoso*, figs, and *panpepato* ice cream

Ringraziamenti / Acknowledgments

Ringrazio tutti i miei cari, i miei ragazzi e tutti quelli che quotidianamente sono al mio fianco. A tutti loro dedico questo libro.

I would like to thank all my beloved ones, my team, and all those who work with me day by day. This book is dedicated to them.

Felix Lo Basso

Finito di stampare nel mese di aprile 2018
Printing closed in April 2018

www.marettieditore.com

FELIX LO